ノーベル文学賞のすべて

立東舎

まえがき／読書とは友人を作ること

都甲幸治

面白い本が読みたい。それは人類共通の願いである、とここで言い切ってしまおう。確かにSNSは気になるし、Netflixのドラマやドキュメンタリーにハマる気持ちもよくわかる。それでも本にしかない面白さはある。だから本が大好きだ、と思っている人も多いのではないか。

では実際にどの本を読めばいいのか。書店に行き、なんとなく話題になっている本が平積みになっているのを見て意気込んで買い、まあまあ面白いんだけど、値段ほどはなかったなあ、と思った人もいるだろう。そういうときAmazonは便利で、過去にこういう本を読んでいた人は次にこうした本を読んでいます、と的確にすすめてきてくれる。けれども僕らは、もっと突然の出会いにトキメキたいのだ。過去の自分の延長線上ではなく、そんな本を読むなんて自分でも思いもよらず、ましてやAIになんてとても思いつかないような本と出会って、新しい世界を開きたいのだ。

友人にすすめてもらった本により大きく世界が開ける、ということはある。そしてこの本もまた、そうした友人の一人として、あなたに語りかけたいと願っている。とはいえ不利な戦いをしかけていることは充分わかっている。ノーベル文学賞を受賞した作家の作品なのか。ならばぜひ読んでみよう、と思う人が今の時代、どれほどいるだろう。たとえば半世紀前、みんなが輝かしい西洋文化の権威を信じていた時代は違った。ヨーロッパの偉い人が選んだんだから絶対に名作に違いない、と思い込めた時代があった。

でも今は違う。そこまでヨーロッパの文化に憧れているわけはない。文学こそ文化の中心である、という信念も二一世紀に入るとともに消えてしまった。しかし、それでもである。ノーベル文学賞を獲っていても、なおかつ本当に面白い本はあるのだ。たとえばヘミングウェイの『老人と海』である。読んでいる人もいない人も、みんなが知ったつもりでいるこの作品をあらためて読み返してほしい。舞台はキューバ沖の海で、登場人物はほぼ一人も英語をしゃべらず、延々と漁師の老人が独り言を言いながらカジキと格闘するだけ、というあまりにもシンプルすぎる作品が、なぜか読者をぐいぐい引き込んでいく。現代アメリカ文学の代表作、と言われただけでいかにも退屈そうに思えるが、実際には面白くないところなど一行もない。しかも自然への敬意や複数の言語や文化のぶつかり合いなど、今時のテーマもしっかり展開されている。一言でいえば、とても「新しい」作品なのだ。

あるいはカミュの『異邦人』だ。これまたフランス現代文学の代表だが、読んでみれば舞台はアフリカで、元から現地に住んでいた人々と、後から入植してきたフランス人双方の視点が交錯する。しかもその研ぎ澄まされた文体は翻訳であっても新鮮な喜びを与えてくれる。根本的に世界観を共有できない人々が隣接して暮らし、互いの関わりは時に暴力という形を取らざるを得ない。このことを植民地で育ったカミュは肌身に染みて知っている。なんでこんなにシンプルな言葉で、こんなに深いことが言えるんだろう。ノーベル文学賞がきっかけでこうした作品に出会えるとしたら、そうした出会いには充分に価値がある。

この本ではまず、みんな聞いたことはあるが、実際にはどのようなものか今一つ知らないノーベル文学賞の選考過程を解説している。さらに受賞作家たちの紹介とおすすめ作品のリスト、惜しくも候補には何度か上がったものの結局は受賞を逃した作家たちの紹介、今後受賞が望まれる作家たちの紹介、と盛り沢山な内容が詰まっている。『ノーベル文学賞のすべて』という大胆すぎるタイトルも、そこまで見掛け倒しではないことは、この本を読んでくれればわかると思う。

僕が面白いな、と思ったのは、各作家たちの魅力を一言で伝えるほんの些細なエピソードや表現の連なりである。たとえば大江健三郎の魅力はノスタルジアや哀切感、喪失感である、という表現。あるいはシェイマス・ヒーニーは人の心の奥底をペンで掘るという形容の仕方。トーマス・マンの母親はブラジル系だったとか、カミュの母親は耳が聞こえなかったというエピソード。ボルヘスがチリの独裁者ピノチェトの誘いに応じてしまったがためにノーベル文学賞を獲れなかったという話。こうしたほんの小さな表現や挿話にこそ、彼らの魅力は滲み出ている。

考えてみれば、僕らが触れたいのは、偉大と言われがちな一人一人の作家も結局はただの人間で、僕らと同じように苦悩し、喜び、具体的な暮しの中から作品を紡ぎ出した、という当たり前の事実ではないか。だからこそ彼らの作品は僕らの心を打つのだ。そして僕らは、偉人扱いされている彼らさえ新たな友人として迎え入れることができる。そうやって友愛のネットワークを増やしていけることこそが読書の喜びだと言えるだろう。この本がそうしたあなたの役に少しでも立てたら嬉しい。

もくじ

専門家が選ぶおすすめの受賞作家たち …… 49

候補に挙がったが受賞しなかった作家たち …… 135

本書の内容は、二〇二一年六月時点のものです。

ノーベル文学賞とは何か

都甲幸治

生みの親、アルフレド・ノーベル

ノーベル文学賞と聞いて、どういうイメージを持つだろうか。ノーベル科学賞が世界最高の科学者に与えられる賞ならば、ノーベル文学賞は世界最高の文学者に与えられる賞に決まってる。あなたはそう思うかもしれない。しかしながら、具体的にどういう性格で、どういう作品を書いた作家や詩人に与えられているのか、と言われたら答えに詰まるのではないか。そりゃ世界一すごい賞なんだから、世界一すごい人がもらってんじゃないの、ぐらいのぼんやりした認識が普通だろう。僕もそうだった。だが、ノーベル文学賞が作られた経緯を知れば、もっと違う部分が見えてくる。そしてまた、なんで急にボブ・ディランが貰ったりするんだろう、あるいはなんで聞いたこともないような作家が連続して獲ったりするんだろう、という素朴な疑問にも答えが見えてくるはずだ。そのためにはまず、アルフレド・ノーベルというノーベル文学賞を産んだ当人と、彼が一体どういう意図でノーベル文学賞を作り出したかを知らなければならない。

ノーベル文学賞を知るには、まずはノーベルの生涯を知る必要があると言われて、あなたは多少なりとも驚くのではないか。でもそうなのだ。極端に個性的な人生を送った彼の生き方を見るだけでも、ノーベル文学賞への興味は掻き立てられると思う。ノーベルの先祖は十七世紀スウェーデンの非常に有名な科学者であるオラウス・ルードベックだ。そこから二百年後の十九世紀、ノーベルの父イマヌエルの職業は爆弾の製造だった。クリミア戦争（一八五三－五六）で使われた爆弾も彼が製造していた。つまりはノーベルは武器商人の家系に生まれたのだ。

アルフレド・ノーベルは一八三三年、スウェーデン首都であるストックホルムに生まれ、一八四一年から現地の小学校に一年だけ通った。そして翌年、ロシアのペテルブルグに移る。既に父親はロシアで爆弾を製造する仕事をしていた。そこで家族も父親を追って移住した。ペテルブルグで家族はノーベルの教育のためにロシア人とスウェーデン人の家庭教師を雇う。こうしてその後、彼は家庭教師のみに教わりながら大人になる。彼は化学の才能をすくすくと伸ばし、語学も英語、フランス語、ドイツ語、ロシア語、スウェーデン語を完璧に身につけた。いわゆる天才少年だったわけだ。そして一八五〇年にフランスやアメリカに遊学の旅に出かける。

ロシアに帰国後は父親の家業を助けることになった。そこで父親が直面していたのが、今までより爆発力の高い爆弾を開発する、という課題である。何しろ当時、普通に使えるものといえば、鉱山などで使われる黒色火薬のみだったのだ。その時代に現れてきたのがより爆発力の高いニトログリセリンである。しかしニトログリセリンには大きな問題があった。コントロールが難しく、全体を一気に高温にしなければうまく爆発しない一方、ちょっと扱いを間違っただけで暴発してしまう。実験中、ノーベルは実の兄弟をニトログリセリンの爆発で亡くしたほどだ。この非常に魅力的だが扱いづらい液体の爆薬ニトログリセリンを、どうにか扱いやすくする方法はないだろうか。一八五九年、ノーベル一家は父親とともにスウェーデンに戻った。その後ノーベルは親子で様々な実験を繰り広げる。そして一九六七年、ようやくダイナマイトを発明し特許を得た。

ダイナマイトとは何か。よく珪藻土のマットや傘立てを見ることがあるだろう。あの珪藻土に液体のニトログリセリンを染み込ませることで固形爆薬にすればいいのではないか。このノーベルのアイディアは非常に有効だった。そしてその固形にしたニトログリセリンにノーベル自身が開発した起爆装置をつけることで、安全に使える高性能な爆薬ダイナマイトが生まれたのである。こうしてできたダイナマイトは鉄道開発や土木工事に広く使われた。そして十九世紀の社会の産業化を大いに助けた。

しかしながら、ダイナマイトにはプラスの面だけではなく、大きなマイナスの面もあった。非常に殺傷能力の高い兵器としてダイナマイトは使われたのである。やがてノーベルは世界各地に十五の爆薬工場を経営することになり、巨万の富を得た。しかもロシアに残った兄弟はカスピ海沿岸のバクーの油田開発に携わっており、兄弟の会社に投資していたノーベルもこれによって非常に多額の富を手に入れた。科学者としてのノーベルは極端に優秀だった。爆薬だけではない。人工の絹や人口皮革を発明し、生涯で三百五十以上の特許を取得している。その他にも彼は、アマチュアの作家として戯曲や小説、詩を書いていた。もっとも彼の作品は生前に出版されることはほとんどなかった。

自分の発明した非常に強力な爆弾によって人類社会から戦争が一掃されればいい、とノーベル自身は考えていたらしい。しかしながら実際には、彼の発明した爆弾によって膨大な数の人間が死んだ。そして彼は世間から代表的な「死の商人」として見られるようになった。彼の兄弟が亡くなったとき、フランスの新聞に間違ってノーベル自身の死亡記事が出たことがある。そのときの見出しは「死の商人が死んだ」というものだった。これにノーベルは大いにショックを受けたらしい。このままでは自分は悪評の中、消えていくしかない。そこでいちかばちかの賭けとして、彼は遺産のほとんどすべてを費やして死後にノーベル賞を作ることを決意した。それが記してあるのが彼の一八九五年の遺書である。すなわち、ノーベル賞によって、自分は人類の進歩を信じ平和を愛する人間だ、ということをノーベルは世界に印象付けたかったのだ。そして一八九六年、彼は移住先のイタリア、サンレモで亡くなった。

彼の遺言のうち、ノーベル文学賞に関係ある部分にはこう書いてある。ノーベル賞は人類にもっとも優れた貢献をなした者に贈られる。そして文学賞はもっとも卓越した理想主義的な作品を書いた者に与えられる。誰が受賞するかを決めるのはストックホルムのアカデミーであり、受賞者の国籍は考慮しない。スカンジナビア人であるとないとに関わらず、もっとも価値ある者が受賞者となる。

ノーベル賞全体が非常な権威を帯びることになった理由は複数ある。まずは世界を代表する研究者たちによって厳正な選考が行われる、という選考プロセスへの信頼であり、そしてまた極端に高額な賞金である。何しろ一部門につき毎年一億円贈られ、それが六部門も存在するのだ。これらはノーベル自身の巨大な遺産の運用益によって賄われている。一年に六億円も運用益が出るというのを見ても、どれだけ遺産が巨額かがよくわかるだろう。それにしても賞金がなぜこんなに大きく設定されているのか。ノーベル自身の意思はこうだった。様々な外部的なものから独立し、経済的な心配をせずに受賞者に研究を続けてもらうにはこれぐらい必要だ。同一部門で複数の受賞者が出たときには均等に分割されることになる。ちなみに死者が受賞することはできない。だが実際には発表されてから授賞式のあいだに受賞者が亡くなることはある。その場合は取り消されない。授賞式がある十二月十日はノーベルの命日だ。

ノーベル文学賞の選考プロセス

さて、それでは実際にノーベル文学賞がどんな作家に与えられているかについて考えてみよう。先ほども言ったように、ノーベルの遺言には「もっとも卓越した理想主義的な作品を書いた者に与える」とある。この文言が常に問題となってきた。「もっとも卓越した」も「理想主義的な」も非常に問題含みな表現である。「もっとも卓越した」というのはいちばん売れた、言い換えれば大衆の好みにあった、という意味なのか。それとも文学研究の世界で素晴らしいと思われているものなのか。あるいは、作家たちから尊敬される作品を書いている、という意味なのか。「理想主義的な」というのもまた難しい。理想主義という言葉を額面通り取れば、人類の理想を描く人道主義的な作品を書いている作家に限る、という解釈もできる。あるいは、人類がこれから進んでいくだろう未来を先取りした、前衛的な作品を書いている、というふうにも考えられるかもしれない。それ以外にも、あまり売れてはいないがマイノリティの文化に光を当てている、というのも入るかもしれない。もしくは今まで評価されることのなかった様々な地域出身の作家、具体的にはアジアやアフリカの作家たちが該当するかもしれない。

実際の受賞者リストを見れば、ノーベル文学賞の選考基準は常にブレ続けてきたことがよくわかる。時代によって、人道主義的だったり、前衛的だったり、一般に人気があったり、あまり普段、光が当たらないような地域出身だったり、と傾向はバラバラだ。しかしそれでもある程度きちんと水準の高い書き手を選び続けてこられたというのはさすがだと言える。こうした複数の基準がノーベル文学賞に存在するために、来年どういう人が獲るか、を予測することは極端に難しい。ちなみに、よくノーベル文学賞の候補は今年は誰だ、みたいな話がメディアに出てくるが、あれはすべて当てずっぽうである。種を明かせば、ノーベル文学賞候補は五十年間秘密にされる。したがって今、誰が候補になっているかを確実に知っているのは、ノーベル文学賞の委員会と彼らの意見を聞けるスウェーデン・アカデミーの会員十八人だけだ。というわけで、誰それがノーベル文学賞候補ではないか、というのはだいたい、イギリスの賭けをやっている会社が自分たちのために作ったオッズのリストが元になっている。もちろん的中することも多いが、根本的には当てずっぽうだ。したがってここ数年、誰それが連続してノーベル文学賞の候補になっている、みたいな報道があっても決して信じてはいけない。

さて、それではどのようなプロセスでノーベル文学賞が選ばれるかをを見てみよう。

ノーベル文学賞を選ぶ主体は、ノーベルの遺言で指定されているように、スウェーデン・

アカデミーである。スウェーデン・アカデミーは一七八六年にスウェーデン王のグスタフ三世によって作られ、十八人で構成される。そのうちノーベル文学賞委員会の会員は四、五人であり、三年ごとに交代する。ちなみにスウェーデン・アカデミーの会員十八人は二〇一八年まで終身制だった。自分の意思で辞められるようになったのはごく最近だ。その他、数年間活動をしなければ辞職を勧告されることもあるらしい。

ノーベル文学賞候補を推薦してほしい、という要請は九月に行われる。そこで対象となるのが世界中の千人ほどの人々や組織だ。ではどういう人々に要請が送られるのか。まずスウェーデン・アカデミーの構成員、そして各国のアカデミーやそれに準じた組織、それから世界中の大学で文学や言語学を教えている教授たち、過去のノーベル文学賞の受賞者、そして各国のペンクラブの会長など作家組織の長である。具体的に資料を見てみよう。ノーベル文学賞のサイトには便利なデータベースがあって、一九〇一年から一九六六年のあいだに誰が誰を推薦したのかを検索することが可能になっている。実際にリストを見ると非常に興味深い。

たとえば過去、本当にノーベル文学賞の候補になった日本人は誰なのか。資料を見る限り、答えは川端康成、谷崎潤一郎、三島由紀夫、西脇順三郎、賀川豊彦、井上靖、そしてもちろん大江健三郎の七人である。では彼らを誰が推薦したのか。一九六二年に日本のペンクラブが川端を推薦した。谷崎は一九五八年に作家のパール・バックに推薦されており、さらに一九六三年にはドナルド・キーンに推薦されている。西脇順三郎は五回にわたって辻直四郎東大教授に推薦された。彼はサンスクリット語の権威であり、作家黒田夏子の父親としても名高い。岩波文庫で『リグ・ヴェーダ讃歌』などを翻訳してるといえば、ちょっと親しみが湧くだろうか。

その他にもリストを見ていて目立つのは、世界的に有名な文学研究者が多く意見を聞かれているということだ。ウィリアム・エンプソン、ジョルジュ・プーレ、ウォルフガング・イーザー、ハンス・ロベルト・ヤウス、ライオネル・トリリング、ロマン・ヤコブソンといった、文学理論の教科書に出てくるような錚々たる人々が五〇年代から六〇年代にかけて多くの作家たちを推薦している。つまりこうしたヨーロッパやアメリカの知識人たちがノーベル文学賞の大きな方向性を決めていたことがよくわかる。

六〇年代の候補者リストを見て感慨深いのは、多くの優れた作家たちが候補に上がりながらも結局はノーベル文学賞を獲れなかった、という事実だ。たとえば当時非常に人気があったサマセット・モームやジャン・コクトー、レーモン・クノーといったメジャーな作家たちもそうだし、今となってはノーベル文学賞を獲らなかったのが不思議なくらいの、ホルヘ・ルイス・ボルヘスやウラジーミル・ナボコフといった極端に評価の高い作家たちもそうだ。J・R・R・トールキンやエーリヒ・ケストナーなど主に児童文学やファンタジーで知られる作家たちや、これも非常に高名な詩人のパウル・ツェランも獲っていない。こうした人々がなぜノーベル文学賞を受賞しなかったかは興味深い。結局のところ、同時代の作家を評価するのは、どれほど多くの専門家が知恵をふり絞っても難しいのだろう。それでもわりと良い選択をしてきているというところで、かろうじてノーベル文学賞の権威が保たれているということなのかもしれない。

そもそも作家ではない人々の名前も挙がっている。マルティン・ハイデガーやテオドール・アドルノ、カール・ヤスパースといった哲学者たち、文化人類学者のクロード・レヴィ＝ストロース、そして政治家のシャルル・ド・ゴールもだ。こうした人たちにノーベル文学賞を与える可能性はもうこの時代にはなかったと思うが、それでも平気で推薦している人々がいるのが面白い。

　話を戻そう。さて、そうやって選ばれた人々のうち二百人ほどが返事を返してくる。そのうち二月一日までにノーベル文学賞委員会に届いたものが選考の対象となる。四月中には膨大な候補のうち、十五人から二十人まで絞る。そこから話し合い、五月には五人まで絞る。六月から八月までは具体的に作品を検討する。もっとも、ノーベル文学賞委員会の構成員たちはヨーロッパの複数の言語は読めるものの、日本語など他地域の言語は直接は読めない。なので翻訳をさせたり、専門家の意見を聞いたり、あるいは直接対象となる国に調査員を派遣してかなり広範な調査を行ったりする。そうやって九月に会議が開かれ、十月始めにスウェーデン・アカデミーで決選投票となる。たいていはノーベル文学賞委員会が上位に推薦した候補が受賞するが、最後の投票でかなり順位が変動することもある。こうして過半数を制した者が受賞することになる。

五十年を経て明かされる選考の舞台裏

それでは具体的に資料を見ていこう。スウェーデン・アカデミーは五十年経過した資料を公開している。推薦状、候補者リスト、議事録などだ。もっとも最後の数人から一人まで絞られる会議の議事録は公開されない。最初に取り上げたいのが、一九六九年にノーベル文学賞を受賞したサミュエル・ベケットだ。アイルランド出身であり、英語とフランス語で作品を書いた彼は今では作家としてだけではなく、劇作家としても最高峰の存在として認識されている。実際一九五七年からノーベル文学賞委員会に延々と推薦され続けたのだが、なかなか受賞には結びつかなかった。一九六九年に著名な演劇研究者であるヤン・コットが書いた推薦状にはこうある。ベケットはフランスの前衛演劇を代表するだけでなく、すべての時代の偉大な劇作家に連なっている。具体的には、聖書やアイスキュロスからシェイクスピア、そしてダンテ、ジェイムズ・ジョイスまで、というわけである。そしてまた、ベケットはアイルランド、イギリス、フランスの文学を明らかに代表している、とまで述べている。大変な褒めようだ。

それではなぜ彼が十年以上も受賞できなかったのか。作品のレベルを疑問視する声はさすがに当時も存在しなかった。だが彼の作品が理想主義的かどうか、という点は大いに疑問視された。たとえば代表作『ゴドーを待ちながら』では、二人の男が延々と雑談しながらゴドーと呼ばれる謎の存在を待っている。そしてそれ以外、大きなことは何も起こらない。果たしてゴドーとは何なのか。神なのか、あるいは死なのか。いろんな解釈ができるだろうし、二人の掛け合いだけでもとても楽しい劇になっているわけだが、しかしながらそこに理想主義的な、つまりはある種ポジティブな人間性が描かれているかはわからない。むしろ人間存在の不毛や苦悩を正面から捉えた作品だと考えるほうが、よほど納得できる。

議事録を見ると、ノーベル文学賞選考委員会の委員長はまさに同じ考えを持っていたことがわかる。彼は言う。サミュエル・ベケットの否定的で憂鬱な文学はノーベル文学賞には値しない。したがって、私はサミュエル・ベケットに賞を与えることをためらう。確かにサミュエル・ベケットの作品は卓越したものである。それは誰も否定できない。しかしながら、人類の進歩に貢献するような非常にポジティブなものである、とはとても言えないだろう。言い換えれば、ノーベルの遺書にあるような「理想的な」作品という言葉の定義にはどう考えても当てはまりようがない。この言葉の通り、委員長は一位アンドレ・マルロー、二位グレアム・グリーン、三位ジュゼッペ・ウンガレッティ、もしくは彼とエウジェーニオ・モンターレという案を最終的に答申した。しかしながら彼の意見は覆され、スウェーデン・アカデミーはその年、サミュエル・ベケットを選んだのである。この事例を見ると、作品の質、文学者としての評価、そして理想主義的な方向といった複数の評価基準のうち、年によって、あるいは選考に携わるメンバーによって、何が優先されるかはかなり大きく揺れ動くことがわかる。

日本人初受賞と外務省の関係

それでは一九六八年にノーベル文学賞を受賞した川端康成についてはどうか。彼が最初に推薦されたのは一九六一年だった。推薦者はアカデミーの会員であり、スウェーデンのストックホルム大学で文学を教えていたヘヌリ・オルソンである。推薦された最初の年は見送られるという慣例どおり、この年は結論は先送りされた。その他、大きな理由として西洋語への作品の翻訳が極端に少ない、ということも指摘された。続いて一九六二年、日本ペンクラブが川端を推薦する。このときには委員会は彼の日本的な表現を評価した。一九六四年と六五年にはスウェーデンの作家で詩人のハリ・マーティンソンが川端を推薦する。余談だがマーティンソンはその後、一九七四年にノーベル文学賞委員会に所属しながら自らにノーベル文学賞を与えた。つまりはかなり問題含みの人である。

一九六五年は大きな転換となった。川端康成と並んでノーベル文学賞の強力な候補だった谷崎潤一郎が七月三〇日に亡くなったのだ。このことにより、評価も高くしかも高齢である川端康成が、日本におけるノーベル文学賞最有力候補として躍り出た。一九六六年にはスウェーデンの演劇人でアカデミー会員のカール・ラグナル・ギエロウが川端を推薦する。同年の議事録にはこうある。川端康成の小説作品には日本独特の美意識や生活における倫理観が感じ取れる。そうしたものは作品を豊かにしていると同時に、西洋世界とはまったく異なる独自の価値観や芸術のあり方を示している。すなわち一言で言えば、西洋からは遠く離れたエキゾチックな美を体現する存在だ、という評価がノーベル文学賞委員会の中で作られていたということだ。そのことは、日本人にノーベル文学賞を与えることでノーベル賞は西洋に偏ったものから脱し世界へ広がっていける、そのことは大いに意味がある、という議事録の文言にも感じ取れる。

確かに当時、ノーベル文学賞委員会はヨーロッパやアメリカといった西洋の作家だけに与えるのではなく、より広い地理的な広がりをノーベル文学賞に持たせたいと考えていた。その場合、次なる候補として極東の国、日本がまずは考えられたわけである。続いて一九六七年、ノーベル文学賞委員会で『古都』のドイツ語訳が高く評価される。そして一九六八年、一位アンドレ・マルロー、二位W・H・オーデン、三位川端康成というノーベル文学賞委員会の評価を覆して、川端康成はノーベル文学賞を受賞した。

もちろん、川端康成が卓越した作家だからノーベル文学賞を受賞できた、というのは事実である。だが残念ながら、それだけでは受賞はできない。何より大事なのは政府関係者や研究者、翻訳家たちの努力である。極秘資料を含む外務省のノーベル文学賞関連文書を読むとそのことがよくわかる。ここで軸となるのがノーベル文学賞選考委員会の書記長であるウーノ・ヴィラーシュと当時の在スウェーデン特命全権大使の松井明である。ことの発端は一九六〇年三月、西脇順三郎と谷崎潤一郎がともに一九五八年に候補になった、と松井がヴィラーシュから知らされたことに遡る。委員会ではきちんとした判断ができない。なぜならば西脇も谷崎もそこまで西洋語への翻訳が出ているわけではない。なおかつスウェーデン国内では入手がなかなか難しいという事情もある。そこでヴィラーシュは松井に彼らの作品の翻訳を送るよう直々に頼んできたのだ。

公式にはノーベル文学賞候補は公表されないことになっているが、実際のところは関係する政府高官や文学関係者には情報が明かされることがあるのがわかる。日本人もノーベル文学賞を獲得する可能性があるのか。そのことに気づいた松井は、並々ならぬ外交努力を始める。四月には谷崎の『蓼食う虫』『細雪』『陰翳礼讃』『少将滋幹の母』の翻訳を提出する。それに加えて西脇の資料も渡した。続いて五月に松井はヴィラーシュと直接会見した。その席で、オルソンが川端を推薦した、そして今年度はいまだ谷崎や西脇の推薦が来ていない、とヴィラーシュに告げられる。そこで松井は急遽、日本のペンクラブに推薦を求めることとしたのだ。

翌年一九六一年二月二日、松井は今年度も川端、谷崎、西脇を候補者リストに入れてほしいとヴィラーシュに要請をした。このとき彼はアメリカにおける日本文学の著名な翻訳者である、ドナルド・キーンやエドワード・G・サイデンステッカーからの働きかけが有効なのではないか、と思いつく。その他にも、前年の受賞国フランス（サン＝ジョン・ペルス）、前々年受賞国イタリア（サルヴァトーレ・クァジモド）にも働きかけを要請したいと考える。結局、西脇は辻直四郎教授に、川端は三島由紀夫に推薦してもらうことになった。三島由紀夫に対しては日本政府が直々に要請したらしい。推薦状の中で三島はこう言う。川端氏は日本の伝統に深く基づきながら、同時に新しい文学を作り上げる、という矛盾した仕事をきちんと成し遂げている。そこには人間の根源的な孤独と、人生の瞬間において感じられる愛などの美しさの対比が描かれている。この年には川端の『雪国』を英語からスウェーデン語に翻訳したペール・エリック・ヴァルンド氏の推薦文がノーベル文学賞委員会に提出されている。彼はそこで川端の繊細な心理描写を褒め称えていた。

一九六二年二月一日に松井は書記長のヴィラーシュと会見をする。ここで谷崎と川端が候補になっている、しかも真面目な討議の対象となるだろうと明かされる。かつまた一九六一年にハマーショルド国連事務総長が九月一日付けの書簡の中で、「ノーベル文学候補者中日本人候補が見られることをよろこぶ（原文ママ）」と述べていた、という話も出た。最近亡くなったハマーショルドは実はヴィラーシュの親友だったらしいのだ。そしてこの場でも谷崎と川端の翻訳がとにかく少ない、と松井は言われてしまう。そして「総じて翻訳著書僅少な日本人作家にはハンディキャップのあることは否み難い」と愚痴を言っている。僕が見ることのできた資料はここまでで、その後の展開は載っていない。しかしながらこうした外交努力を通じて川端康成の受賞が準備されたのだろう。

その後も複数の著名な文学研究者が川端を推薦している。一九六二年と一九六四年にはハーバード大学教授であるハワード・ヒベットが、川端についての手紙をノーベル文学賞委員会に送っている。その中で彼は、川端の作品は日本の俳句や短歌といった詩の伝統を強く意識した極めて繊細なものであり、特に女性の描写において卓越している、と語る。しかしながらドラマチックな構成に欠けるため、西洋の読者の好みには今一つ合わないかもしれない、という留保もつけている。一九六三年にはコロンビア大学のドナルド・キーンも川端康成について推薦文を書いている。近年はそこまで水準が高くない作品を発表をしたりしているものの、戦前戦後に書かれた四、五作は並ぶものがないほどの傑作だ、と彼は言う。もっとも彼は谷崎の方をより高く買っていたようだ。

極秘調査と幻になった日本人同時受賞

様々な働きかけのおかげでノーベル文学賞委員会も本気になったのだろうか。一九六五年四月から九月まで半年にわたり、日本にある人物を派遣して、十人あまりの人々にインタビューする、という極秘の調査を行った。派遣されてきたのはスウェーデン王立図書館の司書ヨーン・ローンストロームという人物であり、そのあいだ彼は慶應大学に籍を置いていたらしい。つまり留学生を偽装したのだろうか。彼を日本に派遣したのはスウェーデン王立図書館の元館長であり、ノーベル文学賞委員会の書記長でもあるウーノ・ヴィラーシュである。調査目的はこのようなものだ。日本人の候補者として今まで名前が挙げられてきた四人、すなわち川端康成、三島由紀夫、西脇順三郎、谷崎潤一郎について、日本に住んでいる教養ある読者は一体どんなふうに捉えているのか、そしてまた、ノーベル文学賞そのものについてはどう考えているのかを探りたい。その上で、四人のうち一人あるいは二人に同時にノーベル文学賞を与えたとしたら、彼らは一体どう思うだろうかも確認しておきたい。

調査の対象となったのは、文学に関連した四人の大学教授あるいは元大学教授、そして二人の大きな図書館の司書、文学に造詣の深い財界人、ラジオの女性記者、文学に関心を持つ主婦などである。この調査は英語、ドイツ語そして片言の日本語で行われた。調査のあいだローンストロームは様々な困難に直面したらしい。まず確実に秘密にしなければならなかったので、メディア関係者はできるだけ対象から外した。そしてまた、インタビューで相手の本音を引き出すことに極端に苦労した。インタビュー中にも日本人たちは心の奥で何を考えているかをはっきりとは発言してくれない。したがって本当のところ何を考えているのか、インタビュアーにはよくわからなかった。そうした彼らの態度が、日本社会における自分の立場を考慮してのものなのか、あるいは日本という国の評判を気にしてのことなのか、はたまたヨーロッパから来た人に対して自分の思いを語るということに単に不慣れなのか。いずれにせよ、スウェーデンから来たインタビュアーには、日本人たちの控えめすぎる態度はまったく理解不能だった。六〇年代の日本は当時のスウェーデン人にとって、あまりに遠い国だったのだろう。

記録を見ると、文学の専門家とそうでない人たちのあいだに大きなギャップが存在していたことがわかる。文学の専門家たちにとって、ノーベル文学賞候補となり得るのは谷崎と川端のみであった。谷崎は国際的にも通用するような作品を書いている、誰が見ても天才的な人物であり、それに対して川端は翻訳ではきちんと伝わらないような、日本人の繊細な感情や感覚を描いた人物だと考えられていた。年長者を重んじる日本文化から考えれば、谷崎一人かもしくは谷崎と川端の同時受賞が望ましい、という意見を述べる者が多い。もちろんノーベル文学賞が標榜する、理想主義的な方向を鑑みれば、武者小路実篤や志賀直哉といった、作品において倫理的な面を強調する作家にも可能性はある。しかしながら、二人はそこまで海外で知られているわけでもない以上、彼らがノーベル文学賞を獲れば非常に唐突な印象を与えるだろう、とも日本の専門家たちは判断していた。

それに対して、一般読者、特に若い年齢層の読者は三島に強い関心を抱いていた。そして彼の作品を高く評価していた。最後に西脇順三郎であるが、彼の作品を読んでいる層は日本でも非常に少数であり、そもそもほとんど知られていないことが判明した。西脇にかつて教えを受けていた人物さえ、教師としての彼を高く評価しているものの、谷崎や川端を超えるほどの存在とは言えない、と断言している。

ローンストロームのまとめはこうだ。今まで何年にもわたり日本人作家のノーベル文学賞受賞が待たれてきた。日本の教養ある人々のあいだでは、川端康成と谷崎潤一郎のみがノーベル文学賞受賞にふさわしいと考えられている。そのどちらがよりふさわしいかはまったくのところ趣味嗜好の問題であり、客観的な判断はできない。したがって、もっとも角が立たない結果としては、二人同時受賞が考えられる。この報告書を読んでいると、当時既に日本でも日本人がノーベル文学賞を初めて受賞するのではないか、という機運が非常に高まっていたことがよくわかる。そして一般読者は圧倒的に有名で人気がある三島が獲るであろうと思い、文学の専門家たちは谷崎や川端と三島はまったくレベルの違う存在であるとみなしていたことが伝わってくる。結局のところ、ノーベル文学賞委員会は三島よりむしろ谷崎や川端にノーベル文学賞を与えることを真剣に考えていたわけで、一般読者より専門家たちの意見をより重視する、というノーベル文学賞委員会の方向性がわかる。

果たして受賞するのは谷崎なのか。川端なのか。あるいは二人同時受賞なのか。この悩ましい問題は思わぬ形で解決、というより解消してしまう。一九六五年七月三〇日に谷崎が亡くなったのだ。おそらくこの時点で、ノーベル文学賞委員会は川端康成にノーベル文学賞を出すことをほぼ決意したに違いない。翌年一九六六年に伊藤整は報告書をノーベル文学賞委員会に提出した。その中で彼は、谷崎潤一郎が既に亡くなってしまった以上、日本の現代文学を代表する作家としては川端康成の名前のみが挙げられ得る、と語っている。そして一九六七年にはハーバード大学教授のヒベットが同様のレポートを送る。こうした十年以上にわたる様々な人々の努力により、ようやく一九六八年に川端はノーベル文学賞を受賞することとなった。

なぜ谷崎潤一郎はノーベル文学賞を獲れなかったのか

それでは、ノーベル文学賞受賞直前に惜しくも亡くなってしまった谷崎潤一郎の場合はどうか。既に述べたように、彼が初めて候補となったのは一九五八年であり、早い段階からノーベル文学賞委員会において彼の受賞については議論されてきた。その前年一九五七年にはヒベット、エドウィン・O・ライシャワー、ドナルド・キーンといった非常に高名な専門家たちがそろって谷崎をノーベル文学賞候補として推す手紙を書いている。中でもライシャワーの手紙は興味深い。こういう推薦状は書くのは初めてだが、今回やむにやまれぬ気持ちで谷崎潤一郎への思いを綴りたくなった、と彼は言う。西洋の読者たちには知られてこなかったが、日本には過去五十年にわたり非常に高度な近代文学の歴史がある。夏目漱石がその代表者であり、谷崎潤一郎はその流れに沿っている。サイデンステッカーの手によってなされた『細雪』の英訳は、彼の作品の魅力を語って余すところがないといえるだろう。同じくサイデンステッカーによる『蓼食う虫』の英訳も素晴らしいが、やはり『細雪』にはかなわない、と述べている。ライシャワーの格調高い文章を読んでいると、日本文化に非常に大きな愛情を注いでいた人物だということが伝わってくる。

ドナルド・キーンの推薦文もそれに負けず劣らず熱烈なものだ。彼も同じ谷崎の二冊の英語訳を挙げながら、現在の日本を代表する作品だと述べている。翌一九五八年一月には三島由紀夫による谷崎潤一郎の推薦文も届く。その中で三島は谷崎を、日本の古典的な文学と西洋近代文学をうまく融合した非常に高度な作品を書いており、自分は学生時代からずっと愛読してきたと述べている。一見唯美主義に見える谷崎の作品は、実は理想主義者の手による現実の非常に詳細な批判なのである、との三島の評は正鵠を得ていると言えるだろう。しかもファシズムの時代に軍部に協力しなかった谷崎の態度も三島は大いに評価している。同じく一九五八年一月、ノーベル文学賞受賞者であるパール・バックも谷崎潤一郎を支持する手紙を書いている。中国に長いこと住んでいた彼女は、どうやら東洋の作家に一貫して興味を持っていたらしい。ノーベル文学賞委員会も『細雪』と『蓼食う虫』を実際に読んだ上で好意的に評価している。だが候補として名前が挙がった初めての年度ということもあり、この年は見送られた。

その後ノーベル文学賞委員会において谷崎の名前は何年も連続して挙がるものの、必ずしも好意的な評価を得ることはできなかった。一九六四年の委員会において、彼の作品における嗜虐的な表現が問題視され、いささか不快ではないかと言われてしまう。こうしたややずれた評価を見るにつけても、西洋語でない日本語という言語を使って作品を書くことがノーベル文学賞を獲る上で非常に不利に働いたことがよくわかる。

一方専門家たちの意見は違っていた。一九六三年のドナルド・キーンの書簡には、谷崎潤一郎こそノーベル文学賞にもっともふさわしい、と熱烈に書かれている。過去半世紀にわたって延々と作品を書き続け、谷崎は日本を代表する作家となった。近年では谷崎がノーベル文学賞を受賞した、という誤報が流れ、谷崎の家に記者が押し掛けてきてコメントを取るということすら起こった、というエピソードも添えている。そのことからも、日本人は谷崎がノーベル文学賞にもっともふさわしい存在だと考えている、とキーンは結論づける。

結局、谷崎は非常に偉大な存在でありノーベル文学賞受賞にふさわしい、と専門家から何度も推薦されたにも関わらず、彼の作品の西洋的な部分や性的な描写などが問題になり、二流の西洋的な作品なのではないか、と委員会に誤解されてしまって、ノーベル文学賞受賞には至らなかった。日本語で彼の作品を大量に読める我々にはこうした評価がいかに間違ったものであるかがすぐにわかる。しかしながら、半世紀以上前のスウェーデンではこのような評価もいたしかたなかったのかもしれない。そしてそうした谷崎に対して、西洋人にもわかりやすい形でエキゾチックな川端こそ、当時のノーベル文学賞委員会にとっては賞を与えるにふさわしい存在だったということが資料からは伝わってくる。

ノーベル文学賞と「若さ」

さて、それでは三人目の候補である三島由紀夫について考えてみよう。三島がノーベル文学賞候補に最初になったのは一九六三年である。彼を推薦したのはオランダ人の日本語学者でありイエール大学教授のヨハネス・ラーダーだった。この年にはエドワード・G・サイデンステッカーが非常に長大な三島由紀夫の推薦文を書いている。まだ三十代の三島の才能を誰も疑うことはできない。しかしながらもっとも偉大な作家にまで到達しているかといえば、そこまでは言えない、と彼は述べる。三島由紀夫がまだ三十八歳である以上、今すぐに彼が偉大な作家であるかどうかを決めるのは非常に難しい。むしろをこれから時間が経ち、より多くの作品を彼が書き上げた後に判断すべきだろう。そして『金閣寺』や『仮面の告白』の素晴らしさについて語っている。

もう一つ彼が評価するのは『宴のあと』で、非常に人気がある『潮騒』に関しては、それらよりは落ちると言う。いずれにせよ、今後誰をも納得させる大作を書いた後にこそ三島は日本でもっとも優れた作家として評価されることになるだろう、と彼は論じている。ここらへんを読むと、後に書かれることになる『豊饒の海』四部作を予告しているような気がして興味深い。同じ年にはドナルド・キーンも三島の推薦文を書いている。しかしながら四十歳前の彼が谷崎と川端を差し置いてノーベル文学賞を受賞したとしたら、非常に気まずいものがあるだろう、とも述べている。若い三島は今回受賞できなくとも将来にまた候補者となる機会があるだろう。ドナルド・キーンのこの言葉は、その後一九七〇年に三島が割腹自殺したという事実を知っている我々に悲しみを呼び起こす。

三島は一九六四年と六五年にもノーベル文学賞の候補になっている。このとき彼を推薦したのはハリ・マーティンソンだ。一九六四年にはヒベットが三島を推薦している。輝かしい才能を持っている彼は本格的な作品を書いた後にしっかりと検討の対象になるべきである、というのがヒベットの考えだった。一九六七年と六八年においても三島は討議されたものの、時期尚早だということで却下されてしまう。そして川端康成にノーベル文学賞を持っていかれた。三島由紀夫は絶望し、もはや自分には受賞の可能性がないのではと思い、晩年の政治的な活動へと突っ走る。

　三島の作品の価値が認められなかったわけではない。むしろその後十年二十年と作品を書き続けていけば、ほぼ確実にノーベル文学賞が獲れる流れはあった。だがそんなことは三島自身知る由もない。何しろどのような選考過程でノーベル文学賞が川端康成に渡されたか、その中でなぜ自分が落選したかは三島自身には明かされなかったのだから。半世紀後このように内部資料を見ていて、僕は非常に強い感慨を抱いた。ノーベル文学賞など関係なく仕事を続けた谷崎は長寿を全うし、獲った川端はガス自殺し、落選した三島は割腹自殺した。生涯、爆薬作りに精を出して生前、死の商人とまで言われたアルフレド・ノーベルが作った賞により、優秀な書き手の人生が左右されるのは良いことなのか悪いことなのか、僕にはわからない。

　さて、ここまでアマチュアの作家であり、同時に兵器にも転用できる爆薬作りによって巨万の富を得たアルフレド・ノーベルが、自分の死後の名誉と文学への愛を満たすために作り上げたノーベル文学賞が、そのあまりの賞金の大きさとスウェーデン・アカデミーの卓越した実行力により世界一の文学賞にまでなっていく過程を見てきた。同時に、受賞した二人と落選した二人を詳細に見ることで、実際の選考はどのように行われているのか、そしてどのような生々しい議論が委員会では交わされているのか、政府関係者や文学研究者など、世界中の膨大な数の人々が巻き込まれていく様子も知った。

その上で僕は思う。ノーベル文学賞なんてしょせんお祭りなんだから、その程度と思って楽しんでしまえばいいのではないか。こうしたものに命をかけるのが間違っているとまでは言わない。でもむしろ文学の素晴らしさは、賞とは別のところにあるんじゃないか、と思う。なけなしのお小遣いで文庫本を買って読む。ああ、いいなあと思う。そのよさを口では言えないけど、何気ない手触りの記憶として、暮らしの中でふと思い出す。こうした、ごく個人的なところに文学の魅力はあるんじゃないか。心の中のもっとも弱いところにまで寄り添ってくれるところにあるんじゃないか。

だからといって文学賞を否定しているわけではない。半世紀前と比べても文学に対する社会の関心が極端に減った現代において、人々の気持ちを、年に一回でも文学に向かせる役割をノーベル文学賞は十分に果たしている、と思う。その点では尊敬に値する。けれども大事なのは残りの三百六十四日なのだ。結局のところ、この本を手にとっているあなたが心の中で各作家に与える、ほんのささやかな賞こそがもっとも価値がある、と僕は思う。

専門家が選ぶ
おすすめの受賞作家たち

川端康成

1899-1972

出　身 日本、大阪府

ジャンル 小説

日本語で読める主な作品

『山の音』新潮文庫
『雪国』新潮文庫
『眠れる美女』新潮文庫
『古都』新潮文庫
『掌の小説』新潮文庫

解説：江南亜美子

川端康成がノーベル文学賞を受賞したのは、一九六八年のこと。五十年間は選考過程が明らかにされないノーベル賞だが、その期間が過ぎれば情報公開がなされる。彼の受賞のいきさつをひも解けば、その時代、必ずしも川端だけが賞の有力候補者ではなかったことが知れる。

いち早く日本人作家として名前があがったのは、一九四八年の賀川豊彦だった。彼は社会活動家として平和賞の候補者の常連へとシフトし、文学賞の候補とは縁がなくなるので、プロパーの文学者としては、一九五八年に、谷崎潤一郎と西脇順三郎の名が浮上する。彼らは継続的に毎年のように候補になり、一九六一年に川端が、そして一九六三年には三島由紀夫も追加された。

谷崎、川端、そして三島。日本近代文学の系譜で言えば、耽美的な作家である。たとえば戦前、川端と同世代の作家として人気を博していたのは、横光利一だった。ヨーロッパでプルーストが『失われた時を求めて』を、ジッドが『贋金つくり』を、またジョイスが『ユリシーズ』を書き、二十世紀の世界文学のモダニズムが花開いたのに対抗し、日本の文学の場でもそうした実験的な作品を展開しようとした先駆者が横光だ。しかし彼はその意味で、日本的ではなかった。

ノーベル賞文学賞を決定するスウェーデン・アカデミーには、世界中の文学者や識者から推薦文が届く。ヨーロッパ偏重のそしりをかわすため積極的に非ヨーロッパの文学をリサーチする中、谷崎や川端の評価を押し上げたのは間違いなく、彼らの著作の翻訳も手掛けたエドワード・G・サイデンステッカーやドナルド・キーンら、ジャパノロジストだ。彼らは何を「日本的」と捉えたか。一つの偉大な参照テキストが、平安時代中期に成立した『源氏物語』であった。そして、そこで繊細かつ多彩に展開された「色好み」の概念を日本固有の文化として近代文学に引き継いだ作家こそ、ジャパノロジストのお眼鏡にかなったのだった。

じっさい川端は、折々に『源氏物語』を熟読したという。不均衡な不倫の恋が描かれる代表作の『雪国』(一九三七)にも、生き別れた双子の姉妹のタブー的な親密さを描く『古都』(一九六二)にも、さらには母と娘の両方と通じる男の『千羽鶴』(一九五二)も、『源氏物語』を起源とするかのような多彩な女性像が立ちあらわれ、その悲しみを表出していく。さらには眠り込む裸の少女を抱く江口老人の『眠れる美女』(一九六一)や、美しい少女を付け回すことをやめられない性癖を持つ男の『みずうみ』（一九五五）、女性の腕を延々と描写する『片腕』（一九六五）には、いわば変態的な欲望が倫理を超えていくさまが描かれる。

川端という作家が、日本近代文学の代表者のようにノーベル文学賞を受賞したことと、そのわずか四年後にガス管を咥えて自殺を図ったことの因果関係は明らかではない。しかしそれはもしかすると不幸なことだったかもしれない。今風に言えば川端は、クィアな作家であった。スウェーデン・アカデミーは、「日本人の心の本質を表現する円熟の物語」と授賞理由を語ったが、果たして、川端の物語は「日本人の」という大きな主語にそぐうものだったのか。「日本人の心」を、川端は十全に担いきれたのだろうか。

今こそ、川端を「日本初のノーベル文学賞作家」という肩書から自由にし、クィア作家として、その作品をあらためて評価すべきではないか。性的多様性の理解がすすむ現代にあって初めて、川端の追い求めた美が見えてくることもあるはずだ。

大江健三郎

1935-

出　　身 日本、愛媛県

ジャンル 小説

日本語で読める主な作品

『懐かしい年への手紙』講談社文芸文庫
『新しい人よ眼ざめよ』講談社文庫
『芽むしり仔撃ち』新潮文庫
『個人的な体験』新潮文庫
『万延元年のフットボール』講談社文芸文庫

解説：阿部公彦

大江健三郎がノーベル賞を受賞したのは一九九四年。日本人としては川端康成以来の二人目の受賞だった。川端の受賞時は、未知の国からの作家にエキゾティックな詩情を期待する視線が多かっただろうが、二人目の大江はどうだったか。

大江は名実ともに「戦後」の作家である。「死者の奢り」（一九五七）「芽むしり仔撃ち」（一九五八）といった初期の作品にはアメリカとの戦争の痕跡が刻み込まれ、少年時代の作家に対しアメリカが巨大な存在としてそびえていたことがよくわかる。

アメリカに代表される西洋文明は、その後も大江にとって大きな存在であり続けた。占領軍の図書館で英語を勉強し、東京大学入学後も熱心に洋書を手に取った大江の進学先は仏文科。パスカル、カミュ、サルトルといったフランス語作家に加え、メイラー、フォークナーといったアメリカの作家にも影響を受け、『万延元年のフットボール』（一九六七）『同時代ゲーム』（一九七九）『洪水はわが魂に及び』（一九七三）といった作品では、歴史や土地を広々と見渡す俯瞰的な視点を得る。ブレイク、T・S・エリオット、エドワード・トマス、ポオ、イエイツといった詩人にインスピレーションを受けた作品も多い。

他方で、アメリカの軍事行動には批判的で、国際的な作家たちの連帯にも加わっている。

憲法と戦後民主主義の枠組みを尊重し、天皇制には反対というのが大江の基本姿勢でもある。国単位の文化のあり方を越え、より普遍的な理念を追求するという、まさに世界文学的なスタンスがそこからは見て取れるだろう。

しかし、何より興味深いのは、大江のそんなスケールの大きさを土台のところで支えてきたのが、「ギー兄さん」をはじめとして何度も登場する幼いころからの知り合いや、障碍を抱えた息子など、ごく身近な存在でもあるということだ。『個人的な体験』（一九六四）から『新しい人よ眼ざめよ』（一九八三）『懐かしい年への手紙』（一九八七）『静かな生活』（一九九〇）へと至る作品群には、身近な人間たちを愛おしむおだやかで繊細な視線が共通してあり、大きな存在に対峙するときの大江の闘争的なスタンスとのバランスが見られる。

怒濤のような文章の勢いで圧倒するのが若いころからの大江の特色だったが、ときにほとんど幼いといってもいいような「いたずら心」「遊び心」が顔をのぞかせることもある。そんな休止や逸脱の境地がある時期の作品からはむしろ主調となり、特有のノスタルジアや哀切感、喪失感を生み出すようにもなる。中期以降の大江作品に必ずと言っていいほど見られるのは、死者や過去のときを悼むような「ふり返り」の身振りなのだ。ただしそれは、川端をはじめとした昔ながらの純文学作家に見られる枯淡の「さびしさ」の境地にはおさまらない。むしろ、のたうつように運動をやめない生命の横溢がそこから生まれるあたり、まさに大江ならではの魅力だと言えよう。

カズオ・イシグロ

1954-

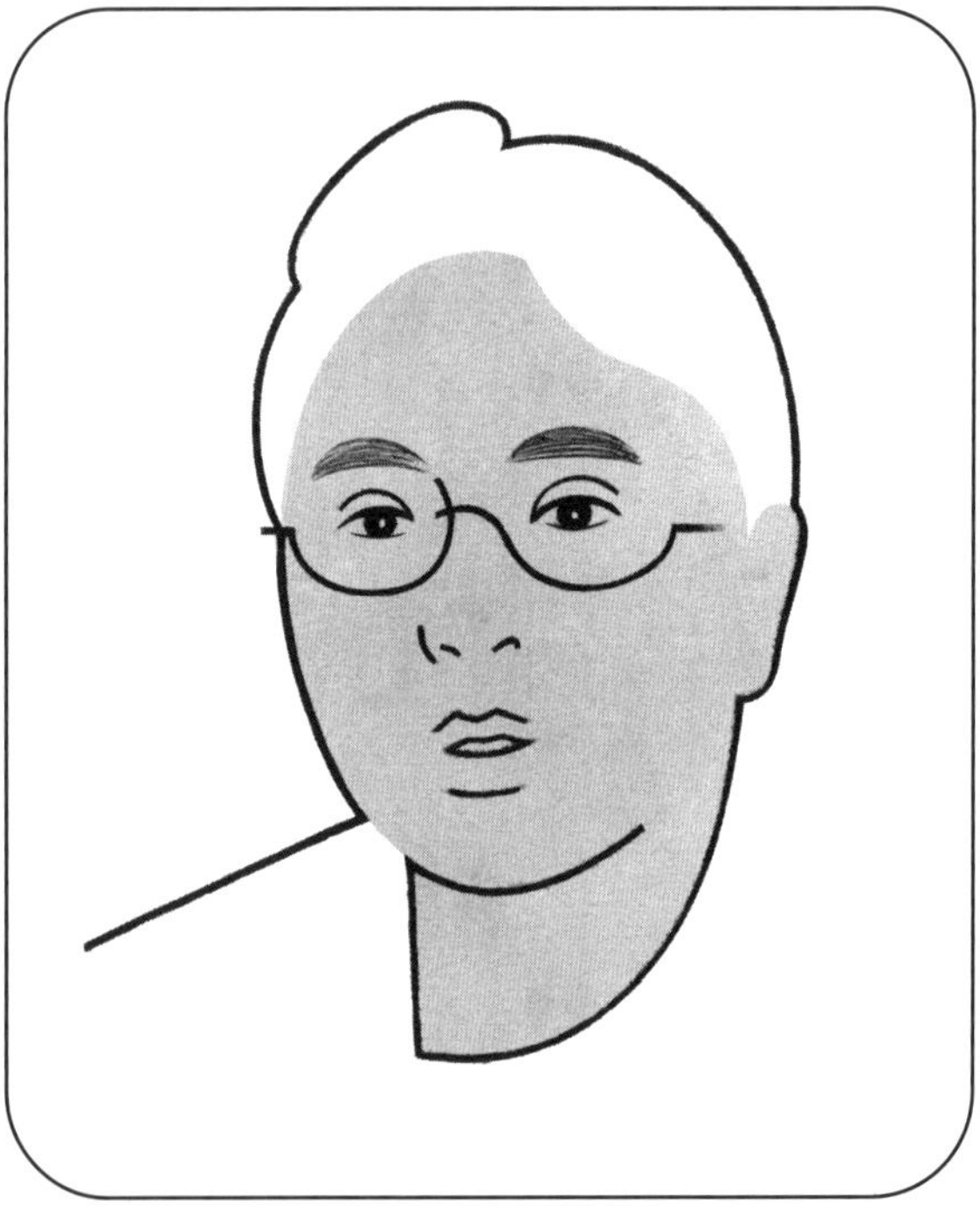

出　身 日本、長崎県

ジャンル 小説

日本語で読める主な作品

『上海の伯爵夫人』映画、ジェームズ・アイヴォリー監督
『わたしを離さないで』土屋政雄訳、ハヤカワepi文庫
※TBS版テレビドラマもおすすめ
『日の名残り』土屋政雄訳、ハヤカワepi文庫
『遠い山なみの光』小野寺健訳、ハヤカワepi文庫
『充たされざる者』古賀林幸訳、ハヤカワepi文庫

解説：日吉信貴

二〇一七年にノーベル文学賞を受賞したカズオ・イシグロは、一九五四年に長崎で生まれるも、一九六〇年以後、父親の仕事の都合によりイギリスで暮らすこととなる。一九八二年に日本を舞台とした『遠い山なみの光』で、英語で書く作家としてデビューを果たすや、イシグロは順風満帆に自らの歩みを進めていき、早くも一九八九年には『日の名残り』で権威あるブッカー賞を受賞する。本作は、イシグロのほとんどの作品を特徴づける、信頼できない語り手の一人称による回想という形式を巧みに用いながら、物語冒頭ではさも立派な人物であるかのように振る舞う主人公＝語り手の自己欺瞞とその記憶の不確かさ、自身の過去への悔恨を、徐々に白日の下にさらしていく傑作であり、初めて読むイシグロ作品にふさわしい。

本よりも先に映像に触れたければ、『浮世の画家』(一九八六)がNHKによりテレビドラマ化(二〇一九)、『日の名残り』がジェームズ・アイヴォリー監督により映画化(一九九三)されており、『わたしを離さないで』(二〇〇五)に至っては、マーク・ロマネク監督によるハリウッド映画版(二〇一〇)と、TBSによるテレビドラマ版(二〇一六)の二作があるが、イシグロ入門として最良の映像作品は、彼が脚本を担当した映画『上海の伯爵夫人』(二〇〇五）だろう。原作はないものの、この映画はイシグロの様々な小説を想起させるエッセンスで溢れている。

『わたしたちが孤児だったころ』（二〇〇〇）と同じく一九三〇年代の上海を舞台とし、主人公ジャクソンは『浮世の画家』のモリヤマと同じく、第二次世界大戦勃発を間近に控えた混迷する世の中から目を背け、自らの創り出した小さな美の世界に引きこもる。事故により、妻子と視力を失ったジャクソンは、盲人として生き、決して思い出したくない自らの痛ましい過去から目を背け続けるが、この盲目性という主題こそ、一人称の回想という形式によってイシグロが描き出そうとしているものの一つである。『わたしを離さないで』のテレビドラマ版が、物語レベルでの変更はほとんどないにもかかわらず、原作よりもはるかにグロテスクな印象を与えるのは、小説において主人公キャシーが語らずに目を閉ざしている事物――例えば友人たちの遺体――が、ドラマではことごとく可視化されてしまっているからである。

『忘れられた巨人』（二〇一五）の老夫婦もこれまでの主人公たちと同様、おぞましい記憶の忘却を選択するが、イシグロ作品には珍しく、本作では複数の語り手が登場している。

ノーベル賞受賞後第一作の『クララとお日さま』（二〇二一）では再び主人公＝語り手による一人称の回想という形式が採用されるが、ＡＩや人々の分断といった、『忘れられた巨人』の出版以後、急速に重要性を増してきた喫緊の主題が扱われている。ブッカー賞受賞後第一作の『充たされざる者』（一九九五）が、一見前三作と作風が全く異なっていたがゆえに少なからぬ批評家を困惑させた実験小説であったことからもうかがえる通り、ノーベル賞受賞により確固たる地位を確立しようとも、イシグロがそれに安住することは今後もないだろう。

シェイマス・ヒーニー

1939-2013

出　身 北アイルランド、デリー州

ジャンル 詩、評論、翻訳

日本語で読める主な作品

『シェイマス・ヒーニー全詩集 1966～1991』『水準器』『電燈』『郊外線と環状線』『人間の鎖』以上5冊、村田辰夫・坂本完春・杉野徹・薬師川虹一訳、国文社
『トロイの癒し　ソポクレス『ピロクテテス』の一変奏』『詩の矯正』以上2冊、小沢茂訳、国文社
『プリオキュペイションズ　散文選集 1968～1978』室井光広・佐藤亨訳、国文社
『言葉の力』佐野哲郎・風呂本武敏・井上千津子・大野光子訳、国文社

解説：栩木伸明

シェイマス・ヒーニーの文学の方向性は、第一詩集の冒頭に置かれた詩「掘る」（一九六六）に早くも示されている。英領北アイルランドの農家の長男に生まれた彼は、家業に敬意を示しながらも、鋤を「ずんぐりしたペン」に持ち替え、「僕はこれで掘る」と決意を表明した。

初期の詩「アナホリッシュ」（一九七二）を音読すると、英語化されたアイルランド語（ケルト諸語の一つ）の地名に残存する世界が発掘される。「清水が湧き出す場所」を意味するこの地名を口に出したとたん、「子音の緩やかな斜面、母音の牧草地」からなる風景が目の前に広がるのだ。ヒーニーは歴史や人の心の奥底を「ペン」で「掘る」作業を展開していく。北アイルランド紛争のさなかに、泥炭地から発掘された古代の遺体と紛争の犠牲者を神話的な連想で結びつけた詩を書いたときには、ＩＲＡによる暴力を追認したと非難された。だが今それらの詩を読むと、静かな祈りが強く感じられる。

一九九五年、ノーベル文学賞を受けたさいには、「叙情的な美と倫理的な深さをもつ作品群は、日々起きる奇跡と生き生きした過去を称揚する」と評価された。

ヒーニーの母語は植民者の言語である英語で、先住民の言語であるアイルランド語は学習して身につけたものに過ぎない。その一方で、アイルランド人である彼は、シェイクスピアの戯曲やロマン派の詩に代表されるイングランドの英語文学を、自分自身の文学の祖と仰ぐことはできない。宙づりになったヒーニーの想像力には錨が必要となる。

祈りの島を舞台にして亡霊が次々に登場する連作詩「ステーション島」（一九八四）を読むと、詩人本人に似た語り手の前にジェイムズ・ジョイスの亡霊が現れて、「さあ、自分の音色を打ち出せ。（中略）英語は／わたしたちのものなのだよ」と励ます。言うまでもなく、ジョイスはモダニズムの時代に活躍したアイルランド人の小説家で、人間の内面を映し出す「意識の流れ」という手法を駆使して、英語文学に新たな可能性を開いた人物である。ジョイスの存在はヒーニーにとって錨のひとつと言えそうだ。ヒーニーはジョイスの励ましに応えるかのように、イングランドの名門オックスフォード大学の名誉職〈詩学教授〉（任期一九八九年〜九四年）に選任され、一九九九年には英語文学の原点と言うべき古英語の叙事詩『ベーオウルフ』の現代語訳を出版し、英語圏全体でベストセラーになった。

彼の詩はしばしば時代と共振した。ソポクレス作のギリシア悲劇『トロイの癒し』（一九九〇）を英訳したさい、ヒーニーがコロスに書き加えた一節――「とはいえ生涯にただ一度／待ちこがれた正義の高波が起こり／希望と歴史が脚韻を踏むかもしれぬ」――は、ベルリンの壁の崩壊とネルソン・マンデラの釈放を言祝ぐ希望の詞章としてしばしば引用されるようになった。

二〇一一年秋、アメリカ同時多発テロの二ヶ月後には、古代ローマの詩人ホラティウスのオードを翻訳した作品が新聞に載った。「何が起こるかわからない。最も高い塔が／／ひっくり返され、高いところにいた者たちが威圧され、／見過ごされていた者たちに注意が集まる」というヒーニーの訳詩によって、二〇〇〇年前の詩人の声がアクチュアルに蘇った。詩は時空を飛び越えたのだ。

二〇一三年、死の数分前に、詩人が病床から妻に送ったテキストメールにはラテン語で「恐れるな」と書かれていたという。

オルハン・パムク

1952-

出　身　トルコ、イスタンブール

ジャンル　小説

日本語で読める主な作品

『私の名は赤』宮下遼訳、早川epi文庫
『僕の違和感』宮下遼訳、早川書房
『黒い本』鈴木麻矢訳、藤原書店
『赤い髪の女』宮下遼訳、早川書房
『無垢の博物館』宮下遼訳、早川書房

解説：宮下遼

オルハン・パムクが祖父の代から続くイスタンブールの裕福な家庭に生まれたのは一九五二年。当時、約一〇〇万人だった街の人口は、二〇二〇年のいま一五〇〇万を数える。パムクはかつての世界帝都が急激な人口拡大と経済成長の中で変貌する姿を目の当たりにして育ったわけだ。幼少より画家を志すも大学院に進学した一九七四年ごろに断念、作家を目指すようになる。八年後、初作が完成し大新聞である『国民』紙小説賞を受賞する。『闇と光』というこの作品は一九八〇年のクーデターの煽りで出版されることなく塩漬けされるが、混乱の収まった一九八二年に『ジェヴデト氏と息子たち』として日の目を見るやトルコ最高の文学賞とされるオルハン・ケマル小説賞に輝く。以降、小説十点、脚本一点、回想録やエッセイ集六点、それに趣味の深夜の街歩き、もとい徘徊の所産である写真集二点が出版される。一九九〇年代からは海外での知名度を上げ、各国の文学賞を総なめにした上で、二〇〇六年にノーベル文学賞を受賞した。

この人の作品は「イスタンブールもの小説」と「歴史小説」に大別できる。前者は、イスタンブールのムスリム・エリートたちが二十世紀を通じてヨーロッパ風ブルジョワジーへと変容するさまを描いた大河小説である初作を筆頭に『黒い本』（一九九〇）や『無垢の博物館』（二〇〇八）など。『黒い本』はこの都市に渦巻く古今東西の物語をまとめたコラム群を手掛かりに失踪した妻を探す物語。『無垢の博物館』は、愛を展示するための博物館建設に至る物語で、同名の博物館が実際にイスタンブールに開館している。最近の『僕の違和感』（二〇一四）では、半世紀以上を路上商人として過ごした農村出身の少年を主人公に据え、アナトリア人の目を通してイスタンブールの変化を眺め直すなど、新境地も開拓している。

後者の歴史小説はわずか二点ながら高い知名度を誇り、平たく言ってファンのもっとも好む作品群だ。代表作『私の名は赤』（一九九八）は、偶像崇拝の禁とは無縁な西欧絵画に接したオスマン帝国の絵師たちの憧れと苦悩を通して、両文明の差異と相克を活写するミステリー仕立て。『白い城』（一九八五）は、オスマン人学者とヴェネツィア人貴族のとりかえばや的幻想科学小説の様相を呈する。ちなみに深刻なコロナ禍に見舞われているイスタンブールで今まさに執筆されている最新作『ペストの夜』は、十九世紀オスマン帝国の架空の辺境州を舞台にした歴史小説。

パムク作品の真骨頂は、読者を驚かせるために凝らされた仕掛けの数々だ。一見、難解にも見える社会思想史的なテーマを遠景とする多弁な自叙体による微細な記述が詰め込まれた物語は、少女たちの自殺事件や、妻や恋人の失踪、あるいは殺人事件や愛の展示方法等々の謎解きや奇想によってまとめ上げられ、終幕はときに映画的、ときにメロドラマティックに情に訴えて万人を納得させてくれる。幸福の形は千差万別、そこに貴賤はなくいずれも尊いということを思い出したい人にうってつけの作家だ。

T・S・エリオット

1888-1965

出身 アメリカ合衆国、ミズーリ州、セントルイス

ジャンル 詩、戯曲、批評

日本語で読める主な作品

「荒地(完全新訳)」城戸朱理訳、『現代詩手帖』2000年1月号、思潮社
※今世紀の幕開けを前に詩人が発表した訳。現時点では単行本未収録だが、掲載誌を探す価値あり。

『西脇順三郎コレクション第Ⅲ巻　翻訳詩集』慶應義塾大学出版会
※『荒地』と『四つの四重奏曲』の西脇訳を含む一冊。今読んでも斬新な訳業。

『荒地』岩崎宗治訳、岩波文庫

『四つの四重奏』岩崎宗治訳、岩波文庫

『モダンにしてアンチモダン　T・S・エリオットの肖像』高柳俊一他編、研究社
※日本T・S・エリオット協会の企画として実現した多角的論集。

解説：山内功一郎

徳永暢三著『T・S・エリオット』によれば、この詩人の略歴は次の通り――「エリオットは生地セントルイスから出発し、ボストン、ハーヴァード大学を経験した後、イギリスへ渡り、島国のイギリス人を驚倒させるような詩を書き、死後は、彼が詩の中で言及し評論で採り上げたシェイクスピアをはじめ一流の英詩人と同様に、英国国教のウェストミンスター寺院にある「詩人の一隅」に碑銘板を飾られるという栄誉を得た最初のアメリカ出身の詩人である」。以上はアメリカ文学者によるスケッチだが、一九二七年にイギリスに帰化したエリオットは、もちろんイギリス文学史においても「一流の英詩人」の一人に数えられている。一九四八年にはノーベル文学賞を受賞。我が国でもとりわけ一九七〇年代ごろまでは、エリオットは圧倒的な影響力を誇る巨星として文学者や学生たちからも畏敬されていた。それ以降はこの詩人を盲目的に崇拝する傾向こそ薄れていったが、おかげで現在では虚心に彼の作品を楽しめるようになったとも言える。

ではこれからエリオットを楽しむとすれば、どの作品から手をつけるべきか。選択肢はいくつかあるが、いっそ二十世紀を代表する長編詩の一つに数えられている『荒地』（一九二二）から読み始めてしまうのも悪くないかもしれない――などと記せば、眉をひそめる向きもあるだろう。数多くの研究者たちによって分析の俎上に載せられた結果だいぶアプローチしやすくなったものの、『荒地』の定評といえばいまだに「難解」だからだ。実際の話、作者による長大な自註がついていることからも察せられるように、この詩のあちこちに様々な引用が出没するし、それらの原典もマイナーなものが少なくない。いや引用の問題以上に、断片的なフレーズやパッセージをコラージュしたこの作品の構成自体が、とっつきにくい印象を与えるかもしれない。

だがもちろん重要なのは、難解などという定評よりも、当の作品を楽しめるかどうかである。試しにその冒頭を城戸朱理訳で引けば――「四月は残酷を極める。／リラの花を死んだ大地に芽吹かせ／記憶と欲望をつき混ぜて。春になると雨が降り／鈍くまどろむ根をふるい起すのだ／冬は私たちを温かに隠した／地球を雪の忘却のなかに覆い／小さな生命を乾いた球根に養って」。少々蛇足を付しておくと、この一節を構成している二つの文章はパラドックスを提示している（なにしろ四月が残酷で、冬が温かいのだから）。そしてこの原理から推して言えば、『荒地』は荒涼としているからこそ豊かでもあるのだ。ちなみにその豊かさは、ゴーストハウスのようでもあれば反響室のようでもあるこの詩の多声音的な性格に由来しているのだが、この点についてはやはり作品自体に当たって確かめていただきたい。お勧めの一つは第二部の「チェス遊び」。思わぬところで思わぬ声をまた聞きしたり盗み聞きしたりする感覚を、存分に楽しめるはずである。

トーマス・マン

1875-1955

出　身　ドイツ帝国、リューベック市

ジャンル　小説

日本語で読める主な作品

『ブッデンブローク家の人々』望月市恵訳、岩波文庫
『トニオ・クレーゲル』高橋義孝訳、新潮文庫
『ヴェニスに死す』実吉捷郎訳、岩波文庫
『魔の山』関泰祐・望月市恵訳、岩波文庫
『ヨセフとその兄弟』望月市恵・小塩節訳、筑摩書房

解説：松永美穂

トーマス・マンはハンザ都市の伝統を持つ北ドイツのリューベック市で、大商人の家に生まれた。祖父はオランダ名誉領事、父は市の参事会員という、政治的影響力も持つ教養豊かな家庭だった。母はブラジル系で、北ドイツでは異色の存在だった。マン家の家業は少しずつ傾き、トーマスが十六歳のときに父親が亡くなったことがきっかけで一家は南ドイツのミュンヘンに移る。リューベックに残る彼らの祖父母の家が、現在は記念館になっている。

トーマスの兄ハインリヒ・マンは左翼系の作家になり、映画「嘆きの天使」の原作『ウンラート教授』の作者として知られている。トーマス・マンは実科学校を中退し、ミュンヘンで保険会社の見習いとして働き始めるが、最初に発表した小説が評価されたため、作家に転身した。一九〇一年に発表した代表作『ブッデンブローク家の人々』は、没落した実家をモデルにした作品で、身内からは顰蹙を買ったりしたものの、国際的なベストセラーとなり、一九二九年にノーベル文学賞を受賞したときの主要な理由ともなった。重厚な作品で、細部にいたる人物描写、哲学的な考察などは、十九世紀以来の長編小説（ドイツ語でいうロマーン）の伝統を受け継いでいる。こうした点で、二十世紀初頭のモダニズムとは対照的な存在だったともいえる。

一九〇三年に雑誌に発表した『トニオ・クレーゲル』はリューベック出身、ミュンヘン在住の作家トニオ・クレーゲル（トーマス・マン自身と重なる部分が多い）を主人公にした芸術家小説。一九一三年に発表した『ヴェニスに死す』はダーク・ボガード主演のヴィスコンティ監督の映画化によって広く知られているが、この小説でも作家が主人公になっている。ヴェニスに滞在中の著名な作家が、ポーランドの貴族の美少年に夢中になり（といっても、少年と言葉を交わす機会はなく、いつも目で追うだけなのだが）、ヴェニスの町にコレラが蔓延しても立ち去ることができずに絶命するという、はかないエロスと妄想に満ちた作品だ。

トーマス・マンは五十代でノーベル賞作家となり、名実ともにドイツを代表する作家であったが、一九三三年にヒトラー政権が誕生すると、亡命を余儀なくされた。ドイツ国内に残した財産やノーベル賞の賞金はナチ政府に没収された、といわれている。スイスを経てアメリカに移動（ドイツ国籍は剥奪されていたのでチェコのパスポートだった）、第二次世界大戦中はアメリカを拠点にナチズムを批判する活動を行った。戦後、ドイツが東西に分裂すると、西ドイツ（リューベックやミュンヘンは西ドイツにあった）に戻ってきてほしいという声が高まるが、彼が定住したのはスイスだった。なお、彼の六人の子供たちのうち、長男のクラウスは作家、長女のエリカは俳優で作家、次男のゴーロは歴史学の教授になっている。クラウスは『転回点——マン家の人々』などを書いたが、一九四九年にフランスで自殺した。

アルベール・カミュ

1913-1960

出　身 アルジェリア、モンドヴィ

ジャンル 小説、戯曲、エッセイ

日本語で読める主な作品

『異邦人』窪田啓作訳、新潮文庫
『シーシュポスの神話』清水徹訳、新潮文庫
『カリギュラ』岩切正一郎訳、ハヤカワ演劇文庫
『ペスト』三野博司訳、岩波文庫
『最初の人間』大久保敏彦訳、新潮文庫

解説：澤田直

フランスの植民地だったアルジェリアのモンドヴィに生まれる。小説家、劇作家、思想家として、第二次世界大戦後の文学界をリードしたカミュは、幼くして父を戦争で失い、文盲で耳も不自由な母に育てられた。一九四二年発表の第一小説『異邦人』は、「不条理」という言葉を世に知らしめた作品だ。必然的な根拠がないという「不条理」のテーマは、『シーシュポスの神話』(一九四二)でエッセイの形で変奏された後、戯曲『カリギュラ』(一九四四)では、ローマ皇帝の残虐性のうちに描かれる。

『異邦人』の物語は一人称で淡々と語られる。アルジェに暮らす主人公ムルソーのもとに、母の死を知らせる電報が養老院から届く。ムルソーは葬式に参加するも、涙も流さず、いかなる感情も示さなかったばかりでなく、あろうことか週末には海で再会したマリーと情事にふけるなど、普段と変わらない生活を送る。ある日、友人レーモンのトラブルに巻き込まれ、海辺でアラブ人を射殺してしまったムルソーは逮捕される。だが、裁判では殺人よりも、母親の死以降の行動に見られた彼の非人間性がもっぱら糾弾される。ムルソーは自らの裁判にも関心を示さず、殺人の動機を問われると「太陽が眩しかったから」と答え、死刑を宣告される。とはいえ、自暴自棄になっているわけではない。死刑執行のときに人々から罵声を浴びせられることが、主人公の人生最後の希望であるという結末は虚無的にも見えるが、むしろ、世界から理解されず、世界を理解しない平凡な青年の、世界への逆説的な関心を示している。

一九四七年発表の第二小説『ペスト』は、アルジェリアの港町オランを襲った（架空の）ペストの年代記という形をとる群像小説。主な登場人物は医師リユーと、封鎖された街で疫病と戦う彼のまわりに形成された保険隊のメンバー、作家を志す小役人のグランや、謎の人物タルー。神父パヌルーは、はじめこそ「ペストはオランの罪に対する神からの罰である」と説くが、罪のない子供が感染し、苦しみながら死亡するのを見て、立場を変え、保険隊に加わる。パリから来ていてペストに遭遇し、恋人のもとに戻るため違法にオラン脱出を計る新聞記者レーモン・ランベールも心を翻し、保険隊に加わる。大きな災厄によって分断を強いられながらも、連帯を模索する人々の様子が、それぞれの心の機微を交えて描かれる。カミュは『反抗的人間』（一九五一）で「われ反抗す、ゆえにわれらあり」と書くが、反抗とは、「否」というと同時に、人間のある部分に対して「諾」ということであり、個人を超えた共通の価値を認め、人間の連帯を求めることだ、とカミュは考える。

一九五七年、四十四歳の若さでノーベル文学賞を受賞したことは、カミュにとって、大きなプレッシャーになったようだ。それでも、記憶にない父を主題に新たな小説を執筆していた。その矢先、一九六〇年一月、友人の運転していた自動車事故によって急逝。遺稿となった小説は一九九四年になって『最初の人間』として出版され、大きな反響を呼んだ。

アレクサンドル・ソルジェニーツィン

1918-2008

出　身　ロシア共和国、キスロヴォツク

ジャンル　小説

日本語で読める主な作品

『イワン・デニーソヴィチの一日』木村浩訳、新潮文庫
『収容所群島』木村浩訳、新潮文庫
『ガン病棟』小笠原豊樹訳、新潮文庫
『煉獄のなかで』木村浩・松永緑彌訳、新潮文庫
『マトリョーナの家』木村浩訳、新潮文庫

解説：松下隆志

二〇二〇年春、新型コロナウイルスのパンデミックを受けて世界各地の都市で実施されたロックダウンは、移動の自由というもっとも基本的な権利を人々から奪い去った。日本でも外出自粛が呼びかけられ、ひたすら「ステイホーム」の日々が続いたが、そんなときふと無性に読みたくなったのが、ソルジェニーツィンの作品だった。

コーカサス地方に生まれ、ドン川流域のロストフで育ったソルジェニーツィンは、第二次世界大戦の独ソ戦に従軍するも、友人に宛てた手紙の中でスターリンを批判したことが原因で終戦直前に逮捕され、以後八年にわたり収容所での服役を余儀なくされる。だが、かつてドストエフスキーがシベリア流刑を経て大作家へと成長したように、まさにこの自由を剥奪された過酷な収容所生活こそが、ソルジェニーツィンという類い稀な作家を生み出したのである。

収容所の実態を暴いて国内外に衝撃を与えた処女作『イワン・デニーソヴィチの一日』（一九六二）には、そんなソルジェニーツィン文学のエッセンスが凝縮されている。タイトル通り、「Щ《シチャー》−854」という番号で呼ばれる囚人イワン・デニーソヴィチ・シューホフの平凡な一日を詳細に描いたコンパクトな作品だが、短い時間の中で、政治、歴史、道徳、宗教といった重要な問題が次々に展開し、収容所という閉鎖的な空間からは想像もつかないような豊かで人間味溢れる物語が紡がれる。

ソルジェニーツィンはその後も短編「マトリョーナの家」（一九六三）などの佳作を発表しているが、やはり真骨頂は何と言っても収容所をテーマとした作品だ。大粛清とは何か、強制収容所とは何か、全体主義とは何か——それを知りたければ、ぜひ大作ルポルタージュ『収容所群島』（一九七三－七五）を手に取ってほしい。まるでカフカの小説のようにある日突然降りかかる逮捕、監獄で繰り広げられるサド侯爵顔負けのバラエティ豊かな訊問、そしてソ連各地に群島のように点在する収容所の生活（懲罰、密告、脱走）、個性豊かな囚人たち……。成された悪の巨大さに言葉を失うと同時に、いかに過酷な状況にあろうとしぶとく生き延びようともがく囚人たちの姿には深い感動を禁じ得ない。

収容所の実態を告発したことやその高い文学性が評価され、一九七〇年にソルジェニーツィンはノーベル文学賞を受賞する。しかし反対にソ連国内での風当たりは次第に強くなり、一九七四年に「国への反逆者」として逮捕され、西側へ追放となる。亡命後もソ連批判を続け、当時「異論派」と呼ばれたソ連国内の反体制派知識人にとってカリスマ的な存在であり続けた。一方で、欧米の物質文明を激しく糾弾し、古いロシアの伝統への回帰を訴えるなど、ソ連崩壊後は保守的な民族主義者としての旗幟を鮮明にし、二〇〇〇年にはプーチン大統領との面会も果たしている。反体制派の英雄から愛国主義者への転向については評価が分かれるが、国家という巨大な存在と文字通りペン一本で渡り合ったという意味で、ソルジェニーツィンが二十世紀後半のロシアにおけるもっともスケールの大きな作家であることは揺るぎない。

アーネスト・ヘミングウェイ

1899-1961

出　身　アメリカ合衆国、イリノイ州、オーク・パーク

ジャンル　小説、詩

日本語で読める主な作品

『老人と海』高見浩訳、新潮文庫
『われらの時代・男だけの世界』高見浩訳、新潮文庫
『移動祝祭日』高見浩訳、新潮文庫
『日はまた昇る』土屋政雄訳、ハヤカワepi文庫
『武器よさらば』金原瑞人訳、光文社古典新訳文庫

解説：都甲幸治

第一次大戦下で青春時代を送ったロスト・ジェネレーションの代表的な作家。戦争の大規模な暴力を経験した彼らは、それまでのものとは違う価値観を模索し、アメリカ文学においてアメリカ第二のルネサンスと言われる作品群を生みだした。他にフィッツジェラルドやフォークナー、ドス・パソスなどが挙げられる。

一八九九年、イリノイ州シカゴ郊外に生まれたヘミングウェイは高校卒業後、大学には進学せず、カンザスシティの『スター』紙で新聞記者となった。ここでジャーナリストとしての修行を積むことになる。後年、ハードボイルド文体と呼ばれる彼の、修飾語が極端に少ない、簡潔で短く単純な文章を積み重ねる手法は、この記者時代の経験と、ヨーロッパで受けたモダニズム文学による影響、そして戦争体験による抽象的なものへの疑いから来ている。

弱い視力のせいで第一次世界対戦への従軍はかなわなかったものの、代わりに一九一八年、イタリア軍付赤十字で野戦病院の救急車を運転することになる。だが敵の砲弾を食らい、その破片が体に二百個も食い込む大怪我を負う。入院中、従軍看護師と恋に落ちるものの、彼の結婚の申し込みははねつけられる。

帰国したシカゴでシャーウッド・アンダーソンと知り合い、深い影響を受ける。続いて一九二一年にパリに渡り、ジョイスやスタイン、パウンドなど、モダニズム文学の大立者たちと知り合う。フィッツジェラルドに世話になったのもこのころだ。当時の様子は、死後に出版された『移動祝祭日』（一九六四）で活写されている。

短篇集『われらの時代に』（一九二四）で注目を集め、一九二六年にはパリに集まった若者たちの自堕落な日々や闘牛について書いた『日はまた昇る』で多くの読者を獲得した。ちなみにロスト・ジェネレーションという表現は、本作の見返しにおけるスタインの言葉「あんたたちはどうしようもない世代（ロスト・ジェネレーション）ね」から来ている。

一九二九年の『武器よさらば』では、自らの経験をもとに第一次大戦における戦争の悲惨さや看護師との恋を描いた。戦争に憧れて従軍した主人公は実践で愛国主義の空しさに気づき恋人と戦場を逃れるが、結局は彼女と死に別れてしまう。『誰がために鐘は鳴る』（一九四〇）の舞台は内戦下のスペインで、反ファシストの戦いに身を投じた主人公は戦略上重要な橋を爆破し、負傷しながらも仲間を逃がして息絶える。一九五二年、キューバの老漁師サンチャゴを主人公に、たった一人で巨大なマカジキと苦闘する姿を描いた『老人と海』でヘミングウェイはピュリッツァー賞、次いでノーベル文学賞を獲得する。だが従軍や飛行機事故による苦痛に悩まされつづけた彼は心を病み、一九六一年、自ら猟銃で命を絶つ。

実際に書くのはほんの少しでいい、という「氷山の一角」理論などを残した彼は、その後のアメリカ文学、そして世界文学に巨大な足跡を残した。「そのあと気持ちがいいものが道徳的で、そうでないものが不道徳的だ」という言葉は、行動する作家であり続けた彼の基本的な姿勢を示している。

ガブリエル・ガルシア＝マルケス

1927-2014

出　身　コロンビア、アラカタカ

ジャンル　小説

日本語で読める主な作品

『百年の孤独』鼓直訳、新潮社
『コレラの時代の愛』木村栄一訳、新潮社
『純真なエレンディラと邪悪な祖母の信じがたくも痛ましい物語―ガルシア＝マルケス中短篇傑作選』野谷文昭訳、河出書房新社
『十二の遍歴の物語』旦敬介訳、新潮社
『誘拐の知らせ』旦敬介訳、ちくま文庫

解説：久野量一

代表作『百年の孤独』が出版されたとき、ガルシア＝マルケスは四十歳になっていた。それまで短篇や中篇を発表していたが、頭の中を占めていたのは、自分が生まれ育ったアラカタカにある、祖父母だけでなく一族の多くの親類も身を寄せていた屋敷の物語だった。学生時代にカフカを読み、その自由な語りに目を開かれたとはいえ、自分が抱えている物語にふさわしい語り口が見つからず、試行錯誤していた。国の政情不安が原因で大学を中退し、新聞や雑誌にコラムやルポを書き、それに伴って住む場所もコロンビアからヨーロッパ、米国と転々としていた。そんな彼がメキシコに居を定め、バカンスで家族と一緒に車でアカプルコへ出かけたとき、祖母があることないことをしゃべっていたように書けばいいのだと思いつき、それから一年半をかけて仕上げたのが『百年の孤独』である。

その内容は、ラテンアメリカの辺境の小さな村の歴史を、村の創設にかかわった一族七世代を中心に描き出したもの、とまとめられる。原始共同体を思わせる、マコンドと名付けられたその理想郷はいずれ、国の歴史に組み込まれて内戦に突入する。外国資本によって経済的な繁栄を迎えるものの、それも束の間、四年以上も続く大雨に降られ、村はみるみるうちに衰退、ついには……となる。ラテンアメリカ近代史を凝縮したような大きな枠はあるにしても、その中身は家族や友情、恋愛にまつわる小さな挿話の切れ目のない繋がりによってできている。しかもそれらの挿話は、誰かが俯瞰的に物語っているというよりは、挿話それ自体に語り出す力があるかのように生々しく、しかも笑いがちりばめられている。この笑いが『百年の孤独』以降の彼の作品におおむね共通する特徴といってよく、これをテキスト上で実現することでガルシア＝マルケスは作家として一本立ちできたのだ。

この本が出版された一九六七年は、奇しくもチェ・ゲバラが暗殺され、グアテマラのミゲル・アンヘル・アストゥリアスがノーベル文学賞を受賞した年でもある。『百年の孤独』は当時良作が次々に生み出されていたラテンアメリカの文学――カルロス・フェンテスやバルガス＝リョサ、フリオ・コルタサルの作品が中心にある――の隆盛の頂点に位置づけられるとともに、今日まで続く非西洋文学ブームの火付け役の一つといえるだろう。

この作品は冒頭の一文から多くの謎と好奇心を呼び起こし、愛好家や研究者のあいだでは、この一文を巡って、ああでもないこうでもないと議論が尽きないほどだ。そこに引っ掛かったら、先を読むしかない。流れに乗ったら最後、終わりまで本を手放すことはないだろう。その一文は以下のようにはじまる。「長い歳月が過ぎて銃殺隊の前に立つはめになったとき、アウレリャーノ・ブエンディーア大佐は……」。続きはぜひ読んで確かめていただきたい。

V・S・ナイポール

1932-2018

出　身 トリニダード・トバゴ、チャグアナス

ジャンル 小説、旅行記、随筆

日本語で読める主な作品

『中心の発見』梅正行・山本伸訳、草思社
『ミゲル・ストリート』小沢自然・小野正嗣訳、岩波文庫
『インド・闇の領域』安引宏・大工原彌太郎訳、人文書院
『暗い河』小野寺健訳、ティビーエス・ブリタニカ
『ある放浪者の半生』斎藤兆史訳、岩波書店

解説：中村和恵

V・S・ナイポールに関する噂話は世界各地で聞いている。来日時にはある講演で、自分の作品を読んでいない連中に話なんかしたくないと出ていったとか。南インド・マイソールの宮殿ガイドは、祖先の国に好奇心満々の作家に二時間も質問攻めにあったと、うんざり顔で言っていた。作家が生まれ育ったカリブ海の島国、旧英領西インド諸島のトリニダード・トバゴでは、「歴史は偉業と創造を核にしてうち建てられる、英領西インド諸島ではなにひとつ創造されなかった」という『中間航路』（一九六二）の悪名高い一節を引用し、ナイポールは嫌いだ、カリブ海をばかにしているという人に何人も会った。

だが誰も、ナイポールの文章の見事さを否定することはできない。

なんという描写力。わずか数行、ほんのちいさな逸話で、まるで知らない土地、時代、見たこともない空間が眼前に立ち上がる。コンラッド『闇の奥』の語り直しともいえるアフリカ某国を舞台とした小説『暗い河』（一九七九）では、語り手サリムが思い出す子供時代の切手の、インド洋などでアラブ人が用いた三角帆船ダウの絵柄が、彼のような英領アフリカ諸国のムスリムの立場を一瞬で照らし出し、市場で琺瑯の洗面器に入れられた食用イモムシが、独裁政権下の生活の手触りや匂いまでも実感させる。『ビスワスさんの家』（一九六二）で読者は作家の父をモデルにしたビスワスさんのすべての引越しにつきあい、何度も顔を出す家具ひとつひとつが懐かしくなる。バーチャル・リアリティとはこのことだ。正確な観察眼が現実を立体的に捉える、だからこそ生じる現実感、そのユーモアと批判性は、要約できない。一体どうやったらこんなふうに書けるんだろう。

『中心の発見』（一九八四）の前半、「自伝へのプロローグ」と題された随筆には、その秘密が惜しげもなく書かれている。トリニダードの首都ポート・オブ・スペインを舞台にした小説『ミゲル・ストリート』（一九五九）が、冒頭のたった二文からいかに語りのリズムとスピードをつくりあげたか。「どうだい、ボガート？」という単純この上ない声をタイプした瞬間に、物語は動き出したのだ。彼を文学の道に導いたのはおそらく、最初に出版された小説『神秘的な指圧師』（一九五七）や『ビスワスさんの家』で語られているように、ゼロから始めて新聞記者になった父親の、十九世紀イギリスやヨーロッパの文学への憧れだった——いや本への、あるいは印刷物への憧れ、というべきか。それぐらい出版や学問の世界、「中央」の権威から、カリブ海トリニダード島のインド系社会は遠いところにあった——そのように思わされていた。この知の辺境意識から、ナイポールは「中心」を探してもがき、旅していった。

十九世紀から二十世紀初め、奴隷制を廃止した大英帝国各地の砂糖黍畑やコーヒー農園で安価に働く年季奉公労働者として、インドから一千万人ともいわれる人々が、トリニダードやガイアナなどのカリブ海地域、マレーシアやモーリシャス、フィジーや南アフリカへ流出した。ナイポールの祖父母もそうしてやってきた。彼はカリブ海の作家であり、インド系作家であり、同時にインディアン・ディアスポラの作家、植民地支配の申し子なのだ。

十九世紀にV・S・ナイポールが生まれたのだったら、とわたしは考える。彼の問題発言の数々は大いに賛同を得たかもしれない。だがノーベル文学賞を受賞しただろうか？百年前なら辺境の地の特異で孤独な試みとして無視されたかもしれないナイポールの受賞は、揺らぎ、変わりつづける「偉大な」文学の内実を問う。彼の優れた作品と創造こそが、旧植民地に複雑なルーツを持つ豊かな文化が創造されたことの証拠である。

ジャン＝ポール・サルトル

1905-1980

出　身 フランス、パリ

ジャンル 小説、戯曲、評論、哲学

日本語で読める主な作品

『嘔吐』鈴木道彦訳、人文書院
『自由への道』海老坂武・澤田直訳、岩波文庫
『言葉』澤田直訳、人文書院
『存在と無』松浪信三郎訳、ちくま学芸文庫
『イマジネール』澤田直・水野浩二訳、講談社学術文庫

解説：澤田直

パリ生まれ。作家、劇作家、評論家であるとともに哲学者でもあったサルトルは、第二次世界大戦後に実存主義の旗手として活躍した。作品や思想の内容もさることながら、同時代への発言が大いに注目された。サルトルの代表作は、一九三八年刊行の第一小説『嘔吐』。かつて世界中を旅した三十代の独身男アントワーヌ・ロカンタンは、ブーヴィル（架空の港町）の図書館で、ロシアの冒険家ド・ロルボン侯爵についての歴史論文を仕上げるため、日々を過ごしている。ところが、平凡な日常の中で不思議な嘔吐感を経験する。繰り返される不快感の謎は、公園でマロニエの木の根を見ているときにとつぜん氷塊する。それは世界のすべてが単なる偶然にすぎず、いかなる根拠もないことに由来するのだった。彼は論文を放棄し、街を立ち去ることにするが、カフェでお気に入りのラグタイムのレコードを聞いているうちに、自分が求めているものがじつは芸術作品の創造であることに気づき、小説を書く決意をかためる。以上があらすじだが、完璧な瞬間を求める女性アニーや、図書館の本をアルファベット順に読破することを夢みる独学者も登場、若きサルトルのあらゆる問題が凝縮されている。

一方、その続篇として構想され、戦後に発表された『自由への道』（一九四五、四九）のほうは、作者とほぼ等身大の哲学教師マチウ・ドラリュを中心とする群像小説。全四巻の予定だったが、結局、三巻までで放棄され、未完に終わった。第一巻『分別ざかり』は一九三八年六月のパリが舞台。自由を愛する主人公だが、恋人マルセルの妊娠をきっかけに、自分の考える自由が内容空虚であり、風雲急を告げる歴史の転換点では何の役にも立たないことに気づく。第二巻『猶予』では第二次大戦勃発前の欧州の様子がカット・アップ手法で描かれ、マチウをはじめとする第一巻の主要人物はもはやエキストラ以上の扱いは受けない。ヨーロッパの様々な都市を舞台に、ヒトラー、チェンバレンをはじめ有名無名の夥しい人物が、歴史という巨大な歯車の中で翻弄される姿が万華鏡のように映し出される。第三巻『魂の中の死』では、一九四〇年六月、敗北したフランスを背景に、戦争が破壊した人間性に焦点が当てられる。

一方、重厚な小説とは異なり、「読む」と「書く」の二部からなる自伝『言葉』（一九六三）では、祖父母の話から始まり、幼年時代の読書体験を経て、いかにして自分が文学の虜になり、またその病から癒えたのかが、軽やかに語られる。

これらの文学作品や、哲学的主著『存在と無』（一九四三）が評価され、一九六四年サルトルはノーベル文学賞に選ばれたが、それを辞退。その理由を個人的な理由「作家は自分を生きた制度にすることを拒絶しなければならない」と、東西陣営に分かれていた冷戦下で、どちらにも与しないという客観的な理由から説明した。

ウィリアム・フォークナー

1897-1962

出　身　アメリカ合衆国、ミシシッピ州

ジャンル　小説

日本語で読める主な作品

『アブサロム、アブサロム！』藤平育子訳、岩波文庫
『響きと怒り』平石貴樹・新納卓也訳、岩波文庫
『八月の光』諏訪部浩一訳、岩波文庫
『フォークナー全集16 行け、モーセ』大橋健三郎訳、冨山房
『死の床に横たわりて』佐伯彰一訳、講談社文芸文庫

解説：中村隆之

南北アメリカとカリブ海列島すべてを包括する呼称、アメリカス。ウィリアム・フォークナーがアメリカ合衆国の作家であるのは言うまでもないけれど、彼の創造した作品世界、彼の発明した技法の深度と広がりは、合衆国にはとどまらない。彼は疑いなくアメリカスの大作家なのだ。

基本情報を確認しておけば、フォークナーは、一八九七年、合衆国南部ミシシッピ州に生まれ、同州ラファイエット郡オックスフォードで、その生涯の大半を過ごした。そして、このラファイエット郡をモデルに、「ヨクナパトーファ」と呼ばれる架空の土地を創造し、豊穣な物語の王国を築き上げた。『サートリス』(一九二九)から始まり、生前最後の小説『自動車泥棒』(一九六二)まで、彼の代表作のほぼすべてがこの架空の土地の連作物語「ヨクナパトーファ・サーガ」の一部をなしている。

ところが、堅牢に見える彼の物語世界は、実は深い傷を抱えている。その傷をもたらしたのは、アメリカを二分した南北戦争だ。フォークナーが現実を参照項に描くのは、この戦争で敗れた側の物語だ。敗れた側は、地位、名誉、財産を当然ながら失っていく。この敗北の遺産を、サーガに登場する主な白人家系は共通して相続しており、ここから悲劇の叙事詩が生まれる。

その悲劇の王国はこのようにアメリカ南部の歴史を色濃く反映しているが、まさにそのことにより、この王国は閉じられることなく、アメリカスの時空間にまで拡張する。フォークナー作品の前提をなす西欧人の入植、先住民の使役、アフリカ人の奴隷化、農園の経営、奴隷制の廃止は、アメリカスに刻印された共通の歴史だ。

『アブサロム、アブサロム！』(一九三六) をそうした観点から読んでみよう。アメリカの貧乏白人 (プア・ホワイト) だったサトペンがヨクナパトーファ郡の農園主にまで成り上がったのは、カリブ海のハイチの農園まで金儲けに出かけたことによる。この小説の悲劇は、サトペンの白人純血主義の妄想のうちにこそある。混血は、アメリカスにおいては避けがたい事象であり、このことが新たに興した彼の一族を崩壊させてしまうのだ。

『行け、モーセ』(一九四二) も等しく重要だ。マッキャスリン家の狩猟の話を中心とするこの物語は、自然との交感という主題とともに、奴隷制に先立つ人間の土地所有という根源的問題を提起している。

このようにフォークナーのアメリカス的世界のうちには、西欧人の入植による土地所有と奴隷制という二重の〈劫罰〉がある。南部共同体が正統化できないのはこのためだ。端的には、彼の文学技法は、この〈劫罰〉の正体を一挙には明かさないことに由来しているように思われる。

影響を受けた作家は数えきれない。ノーベル文学賞受賞者にかぎってもガブリエル・ガルシア＝マルケス、大江健三郎、トニ・モリスンがすぐに思い浮かぶ。中上健次の「紀州サーガ」はつとに有名だ。カリブ海のエドゥアール・グリッサンの物語世界はフォークナーを強く意識している。『フォークナー、ミシシッピ』(一九九六)で彼のアメリカス的次元を論じている。

アリス・マンロー

1931-

出　身　カナダ、オンタリオ州、ウィンガム

ジャンル　短編小説

日本語で読める主な作品

『ディア・ライフ』小竹由美子訳、新潮社
『イラクサ』小竹由美子訳、新潮社
『ピアノ・レッスン』小竹由美子訳、新潮社
『愛の深まり』栩木玲子訳、彩流社

解説：栩木玲子

一九三一年、カナダのオンタリオ州に生まれたアリス・マンローは、一九六八年に初の短篇集『ピアノ・レッスン』を出版して以来、短編小説を書き続けている。半世紀以上にわたるキャリアのあいだに出版したのは（選集を除くと）二十冊に満たず、決して多作とはいえない。でもだからこそ一作一作が重みを持ち、輝きを放つ。推敲を重ね、丹念に磨き込まれた彼女の作品群が評価され、二〇一三年のノーベル文学賞に結実したのは記憶に新しい。

受賞後、カナダのメディアによる電話取材で彼女はこう語っている。「このこと（自身のノーベル賞受賞）がきっかけで、短編小説は長編を書き上げるまでの軽いお遊びではなく、むしろ重要なアートであることを人々が認識してくれれば、と思います」。実は〝文学〟には無意識の格付けが存在し、短編小説は長編小説よりも一段劣ったもの、という見方がある。『小説のように』（二〇〇九）に収められた表題作の主人公も、自分が手にしたのは長編ではなく短篇集だと知り、「本の格が落ちる」気がしてガッカリする。だがマンローの作品群はそんな偏見をみごとに吹き飛ばしてくれるだろう。

自然が厳しくも美しいカナダの小さな町に暮らす主人公は、どこか満たされない思いを抱きながら日々を生きている——多くの作品がこんな設定だ。マンローの長女シーラが、母との暮らしを綴った*Lives of Mothers and Daughters*（二〇〇一）によると、マンローの作品にはしばしば彼女自身の体験が投影されているという。平凡でありふれた日常が描かれるのだけれど、マンローの手にかかると、静謐さの奥からたくさんの悲哀やすれ違いや喜びのドラマが浮かび上がってくる。無駄な感傷を排したシンプルな単語の連なりが、登場人物の心の機微や微妙な関係を的確に捕らえ、過去と現在を往還する場面転換にもまったく無理がない。ほんの数十ページが提供する濃密な読書体験に、最後のページを繰りながら呆然自失、何度感嘆のため息をついたことか。

ノーベル文学賞をはじめ数々の賞を受賞したマンローだが、『ディア・ライフ』（二〇一二）以降、残念ながら新たな短篇集は出版されていない。では代表作は？　そう聞かれると答えに窮してしまう。どの短篇集も収められている作品の完成度が高く、それぞれに特徴があって読み応え満点だからだ。マンロー自身はノーベル賞受賞後、初めて読むとしたらどの作品を薦めるか、と尋ねられてまさに『ディア・ライフ』を挙げたという。ただし最新刊ですからね、と付け加えているのが彼女らしい。二〇二一年現在、マンローの短篇集は九冊、翻訳されている。日本の読者にとっては比較的入手しやすい状況なので、もしまだ読んだことがなければ、どれでもぜひ！

マリオ・バルガス＝リョサ

1936-

出　身　ペルー、アレキパ

ジャンル　小説

日本語で読める主な作品

『緑の家』木村榮一訳、岩波文庫
『ラ・カテドラルでの対話』旦敬介訳、岩波文庫
『チボの狂宴』八重樫克彦・八重樫由貴子訳、作品社
『世界終末戦争』旦敬介訳、新潮社
『都会と犬ども』杉山晃訳、新潮社

解説：柳原孝敦

バルガス＝リョサの文学に特徴的性格は、①華々しい受賞歴、②作品の社会性、スキャンダル度、③その形式の新奇さ、の三点である。

スペインの出版社セシュ・バラルがプロモーション目的で設立した文学賞〈ブレーベ叢書賞〉を二十六歳の若さで受賞したのがバルガス＝リョサの華々しい経歴の始まりだった。この賞はその後、立て続けにラテンアメリカの作家たちが受賞することになり、ラテンアメリカ文学のブームのきっかけになったものだ。その後、ベネズエラの文化機関が設立したロムロ・ガリェーゴス国際小説賞の第一回受賞者となった。スペイン文化省主催のセルバンテス賞は個々の作品ではなくそれまでの功績に贈られる賞だが、これの最年少受賞記録を持っているのもバルガス＝リョサだ。そんな受賞歴を誇る作家のノーベル賞受賞が二〇一〇年だったのは、むしろ遅すぎると言われたほどだ。

〈ブレーベ叢書賞〉を受賞して長篇デビュー作となった『都会と犬ども』（一九六三）では、ペルーに実在するレオンシオ・ブラード学院という士官学校を舞台にし、ペルー社会の縮図とも言える学生寮での人種・階級問題を剔抉して「ペルーの怒れる若者」と呼ばれた。レオンシオ・ブラード学院では作品を大量に買い占めて校庭で焚書にしたと伝えられている。彼らにとっての不都合な真実が書かれていたということなのだろう。続く『緑の家』（一九六六）ではアマゾン地帯における先住民の搾取や誘拐に自治体や治安警備隊、カトリックの伝道所が関与している実態を告発した。政治とブルジョワ社会の腐敗を暴いた『ラ・カテドラルでの対話』（一九六九）には主人公が呟く「いったいどの瞬間からペルーはダメになってしまったのか？」という有名なセリフがあるが、こうして作家はペルーの「ダメ」な局面をテーマ化して衝撃を与えた。

こうしたスキャンダラスな内容を複雑な構成で楽しく読ませるのがバルガス＝リョサのストーリーテラーとしての手腕の最たるものだ。複数のプロットを順番に語り、それぞれのプロット内ですらカットバックやフラッシュバックの手法を多用してめまぐるしく場面転換し、読者を飽きさせない。自由間接話法の多用にも読者は幻惑されるが、やがて人物関係が解きほぐされ、過去と現在の関係が明瞭になり、プロット同士の結びつきが見えてくると、作品全体が提示する世界の壮大さ、テーマの深刻さに唸ることになるのだ。

年を経るにしたがって技法の複雑さはなりをひそめてきたとはいえ、複数のプロットを順に語る手法は堅持している。ドミニカ共和国の独裁者トルヒーリョの暴君ぶりと彼を暗殺したグループの活動、彼に性被害を受けそうになってかろうじて逃れた女性の回想の三つのプロットからなる『チボの狂宴』（二〇〇〇）は円熟の境地。

J・M・クッツェー

1940-

出　　身　南アフリカ、ケープタウン

ジャンル　小説

日本語で読める主な作品

『恥辱』鴻巣友季子訳、ハヤカワepi文庫
『マイケル・K』くぼたのぞみ訳、岩波文庫
『動物のいのち』森祐希子・尾関周二訳、大月書店
『鉄の時代』くぼたのぞみ訳、河出文庫
『世界文学論集』田尻芳樹訳、みすず書房

解説：田尻芳樹

二〇〇三年にノーベル文学賞を受賞したJ・M・クッツェーは南アフリカのケープタウン生まれの白人作家である。この国は一九九四年にネルソン・マンデラが黒人初の大統領になるまで人種隔離政策（アパルトヘイト）を公式に採用し国際社会から排除されていたことで悪名高い。ケープタウン大学で英文学と数学の学位を取得した若いクッツェーも、この大問題を抱えた祖国を永久に捨てるべくロンドンに旅立ち、コンピュータ・プログラマーとして数年間働いた。さらにアメリカのテキサス大学大学院に留学、英文学と言語学を学び、サミュエル・ベケットについての論文で博士号を得る。そしてニューヨーク州立大学バッファロー校講師をしたが、ヴェトナム戦争反対のデモに対する大学の対応に抗議したせいで南アフリカへの帰国を余儀なくされる。その後母校ケープタウン大学の教授になり、二〇〇二年にオーストラリアに移住して現在に至る。

この経歴からわかるように彼は小説家であると同時に学者でもある。小説は博士号を取った直後の一九七〇年から書き始めているので、学者としての自己形成の方が先だったのだ。『世界文学論集』を見ると、世界文学の古典を言語学的に精密に読解したり、ポスト構造主義を応用して南アフリカの検閲の問題を理論的に考察したりする彼の学者、批評家としての力量がよくわかる。

彼の小説の多くが南アフリカ特有の問題を題材にしている。アパルトヘイトの淵源にあるヨーロッパの白人による植民地支配にまで遡って問題を歴史的に考えると同時に暴力的な南アフリカの現実をリアルに描いてもいる。『マイケル・K』（一九八三）は（近未来の）内戦状態の中で障害を持つ孤独な男が差別され政治権力に翻弄され、『鉄の時代』（一九九〇）は癌で余命いくばくもない白人女性を暴力的現実に直面させ、『恥辱』（一九九九）はアパルトヘイトが終わったあとも人種問題が深い爪痕を残していることを大学におけるセクハラ事件と絡めて重層的に描いている。

しかし、他方でクッツェーはフォード・マドックス・フォード、エズラ・パウンド、サミュエル・ベケットらモダニズム文学に傾倒し、その遺産を受け継ごうとしてもいる。それは特に、現実や他者を言葉や物語で表象することへの深い倫理的疑念という形で表れている。彼の作品は西洋のモダニズム的手法が南アフリカの厳しい政治的現実によって新たに鍛え上げられる場であると言ってもよいのだ。また、『動物のいのち』（一九九九）は、動物への差別という問題を明確に主題化し、人間と動物の境界線を問題視する最晩年のジャック・デリダの思想とも共振する面も見せている。

時間をかけて文章を彫琢する彼の英語は独特の引きしまった感じを持っていて、それが他の現代作家にはない魅力となっている。またごく簡潔な筆致で複雑な心理や人間関係を鋭く描き出すのも彼の特色である。日本には二〇〇六年、二〇〇七年、二〇一三年と三回訪れ、二〇〇七年には金沢、京都、松山、長崎など各地を旅行した。

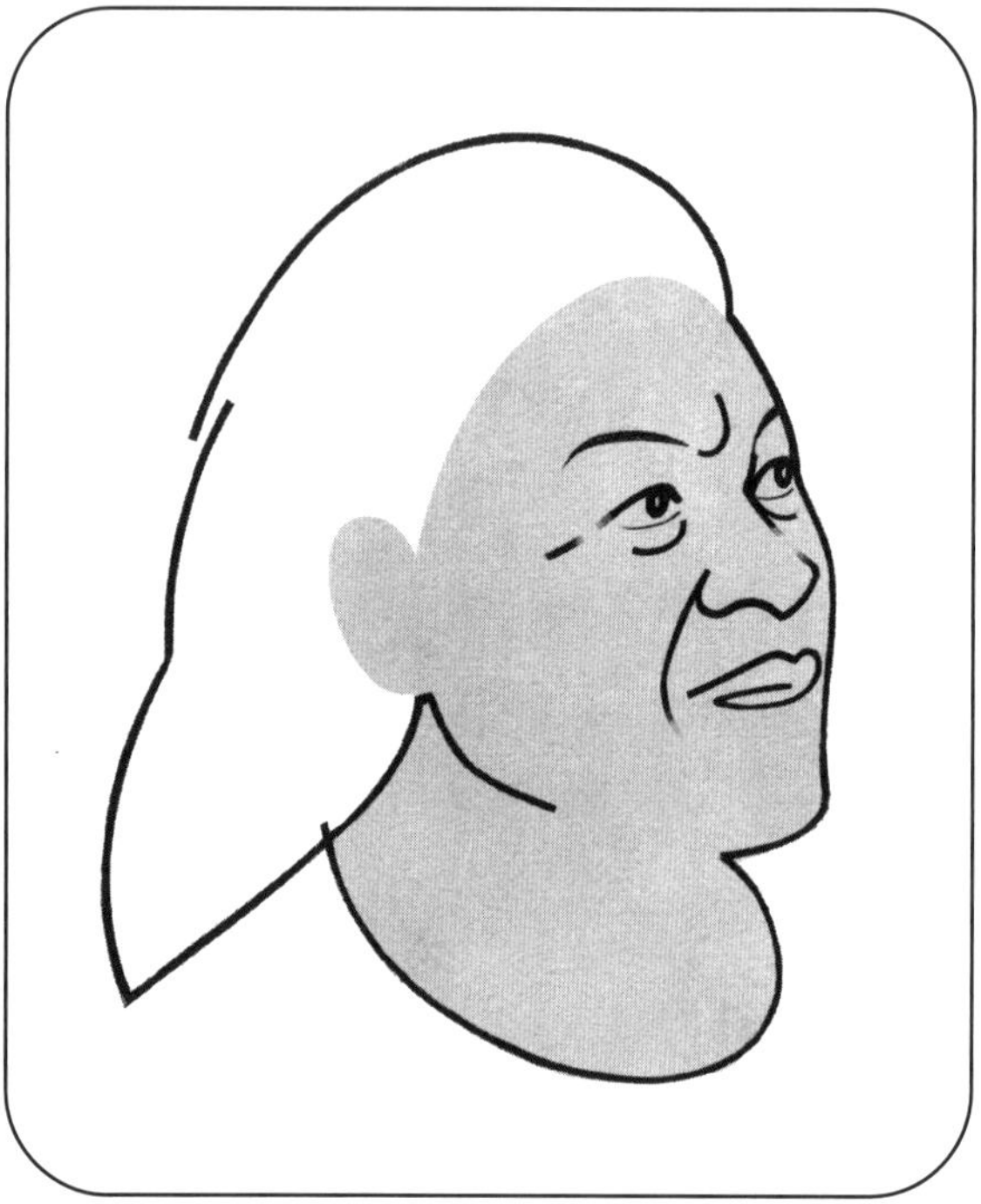

トニ・モリスン

1931-2019

出　身 アメリカ合衆国、オハイオ州、ロレイン

ジャンル 小説

日本語で読める主な作品

『青い眼がほしい』大社淑子訳、ハヤカワepi文庫
『「他者」の起源』荒このみ訳、集英社新書
『ビラヴド』吉田迪子訳、ハヤカワepi文庫
『ソロモンの歌』金田眞澄訳、ハヤカワepi文庫
『タール・ベイビー』藤本和子訳、早川書房

解説：都甲幸治

アフリカ系の人々の生きざまを描いて一九九三年に米国黒人女性として初めてノーベル文学賞を受賞したトニ・モリスンとはどういう人物なのか。一九三一年、アメリカ中西部であるオハイオ州ロレインに生まれた彼女は、黒人文化の色濃い家庭で物語や歌や民話を聞きながら育った。黒人大学であるハワード大学で学士を、そしてコーネル大学で修士を取得した彼女は、ハワード大学やイエール大学で教鞭を取った。離婚後ニューヨークに移り、二人の子供を育てながらランダムハウスの編集者となって、重要な本を次々と世に送り出す。その後一九八六年から二〇〇六年までプリンストン大学で創作科の教授を務めた。

彼女の最初の作品である『青い目がほしい』（一九七〇）の主人公は黒人の少女で、白人の美の基準を受け入れたがゆえに自らの黒い肌を憎む。実の父に犯され、子供を死産した彼女はそのまま正気を失ってしまう。『ビラヴド』（一九八七）で逃亡奴隷の女性は、再び捕まったとき、奴隷としての人生を送らせることに耐えきれず自らの娘を殺す。実際にあった事件をふまえたこの作品でモリスンはピュリッツァー賞を受賞した。

大学での授業を発展させたエッセイ集『白さと想像力』（一九九二）で彼女は、アメリカ文学の基底には常にアフリカ系の人々の存在があったと論じている。エドガー・アラン・

ポーやマーク・トウェイン、ウィリアム・フォークナー、アーネスト・ヘミングウェイなど名だたる作家を扱いながら、あるときには不気味な「黒さ」、あるときには精神的な不安、そして黒い肌の性的な魅力など、様々な形をとってアフリカ系の人々は彼らの著作で言及されてきた。

モリスンは言う。「こうした思索をしているうちにわたしは、個人主義、男らしさ、社会参加にたいする歴史上の孤立主義、鋭くかつあいまいな倫理的諸問題、死と地獄の比喩への妄執と背中合わせになった無垢の主題という、アメリカ文学が誇る主要な特徴は、実のところ、注意をひこうとしている、永続的な、黒いアフリカニストの存在にたいする反応ではなかったか、という気がしてきた」。言い換えれば、自由でない者としてのアフリカ系の人々がいるからこそ、白人たちは自らの自由を強烈に意識できてきたのだ。

こうして白人たちの暗い部分を一身に抱えさせられてきたアフリカ系の人々はどうなったか。生まれ故郷にいても安全は確保されず、常に人間以下の人間として扱われ続ける。こうした状況は、一八六三年の奴隷解放宣言後も、一九五〇年代の公民権法成立後も変わらない。モリスンは語る。「自分たちの故郷の土地（ホームランド）で、故郷（ホーム）

にいると言えないこと、自分たちが帰属する場所で流浪者になっていること」(『「他者」の起源』二〇一七)

ならば黒人たちの、そしてその中でももっとも弱い立場にある女性たちの連帯と強さを描いてきたモリスンの作品は、確実に現代アメリカ文学を書き換えてきたと言えるだろう。その作品の重要性は二〇一九年の死後もいや増すばかりだ。

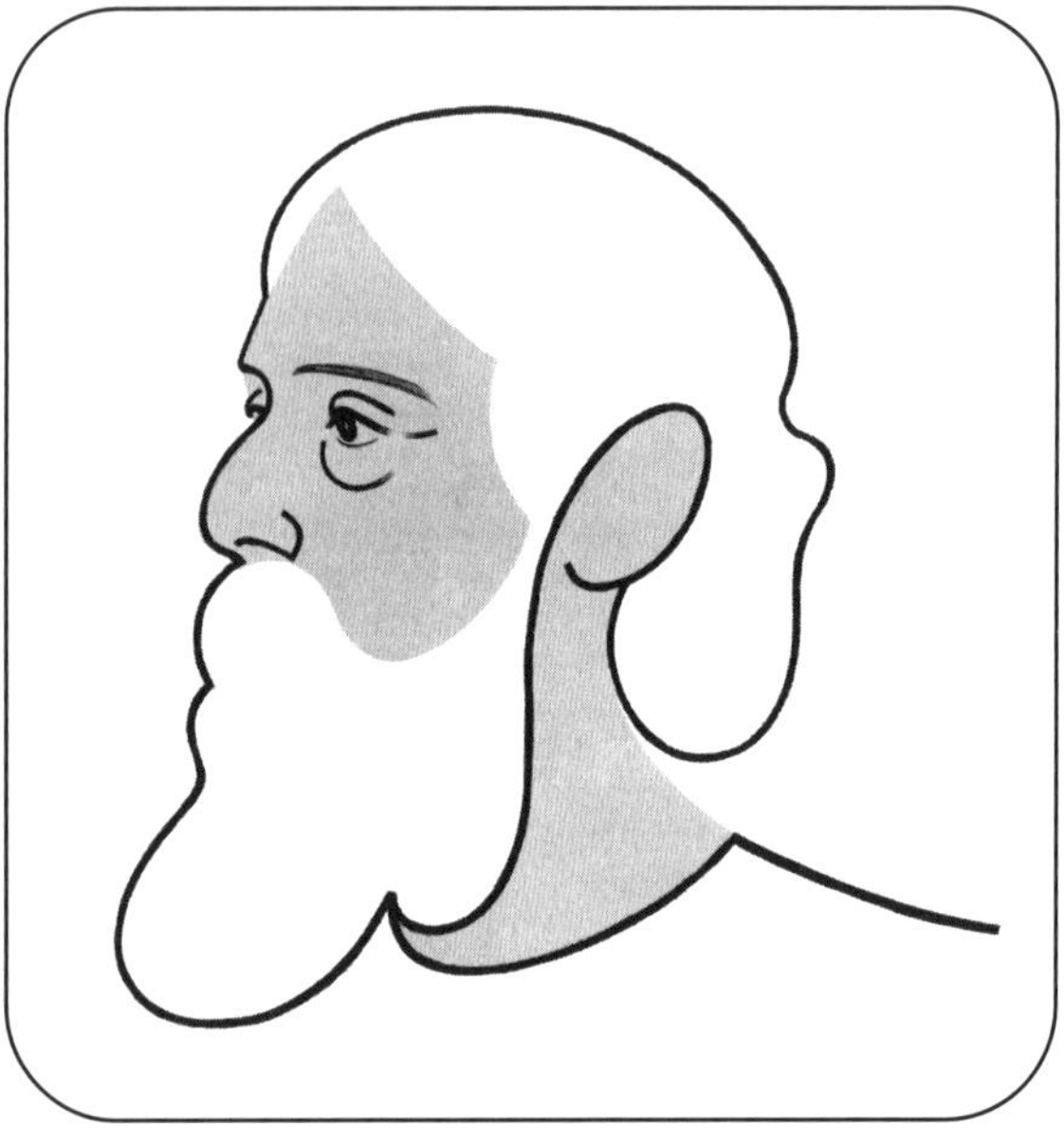

ラビンドラナート・タゴール

1861-1941

出　身　インド、コルカタ

ジャンル　小説、詩、戯曲、評論、作詞作曲など多岐にわたる

日本語で読める主な作品

『私の少年時代』福田陸太郎訳、『タゴール著作集10　自伝・回想・旅行記』、第三文明社
『カブリワラ』野間宏訳、『新・ちくま文学の森03　人情ばなし』、筑摩書房
『最後の詩』臼田雅之訳、北星堂

ノーベル文学賞を決定づけた『ギタンジョリ』は岩波文庫『タゴール詩集』（渡辺照宏訳）として比較的安価に入手しやすいが、いかんせん日本語が古すぎるきらいがある。第三文明社『タゴール著作集』には多くの著作が収められており、訳文も読みやすい。個人的には、日本語の訳文で読むなら短編小説や回想録が、ウィットが利いていてオススメ。

解説：北田信

十九世紀末インド・コルカタに生まれる。当時コルカタは、ロンドンと並んで大英帝国の東半分の主都としての役割を担い、国際的大都市であった。折しもヨーロッパでは世紀末芸術が花開いて、アジアの文化芸術に対する興味関心が高まっており、そうした風潮を反映するロンドンの最先端のモードは、ほぼ同時にコルカタにもたらされ、コルカタはヨーロッパ文化とインド伝統文化が出合い、融合されていく革新的な実験の場となっていた。少年時代のタゴールもこうした世紀末的混合文化の洒脱な空気を吸いながら育ち、さらに英国留学により西欧の自由な気風に触れた。こうした背景のもとに行われたタゴールの創作活動は詩・小説・評論などの執筆にとどまらず、演劇活動や絵画制作など多岐にわたっている。

しかしタゴールの芸術活動の根幹をなす詩作そのものは、インド古来の文芸伝統についての深い教養を踏まえている。タゴールが生まれ育ったベンガル地方には、クリシュナ神と牧女ラーダーの官能的な恋を歌う中世宗教抒情詩の口承伝統が息づいており、農村では今なお、中世詩人たちの作になる優美な抒情詩が美しいメロディーとともに歌われ、踊られている。タゴールの詩作はこうしたベンガル中世抒情詩のスタイルを受け継ぎ、ベンガルの緑滴り花咲き乱れる自然風景を織り込みながら、みずみずしい情感に溢れている。このため、ベンガル地方が東西に分割され、インド西ベンガル州とバングラデシュとして別々の国になってしまった今日でも、両国の国民的詩人として愛されているのである。

ベンガル地方には今日もなお、バウルと呼ばれる吟遊詩人の伝統が残っており、これにタゴールは強い思想的影響を受けた。バウルたちは中世宗教詩の流れを汲む、深遠な哲学的内容を持つ修行歌を歌いながら村々を放浪する。彼らの思想によると、神（真理）は遠いところにいるのではなく、一人一人の身体の中、心の奥に住んでおり、したがって宗教の区別は重要ではない、人は自由だ、というのである。タゴールは、自然に囲まれ青空の下で教育を行う自由大学も設立しており、今日のロハス生活哲学のはしりのような活動も行っている。

タゴールは作曲家でもあり、自らの詩作品にメロディーをつけた。これらの曲は「タゴール・ソング（注1）」と呼ばれ、今なおインド・西ベンガル州とバングラデシュ両側で愛唱されている。近年、バングラデシュの人気歌手オルノブ（Arnob）を中心に、若い世代の歌手たちがセンスの良いアレンジで聴かせる試みが盛んになっており、ポップでありながらタゴール独特の抒情性をも失わない味わい深い音源が幾つも出てきている。
実はタゴールには少年・青年時代に、正規の学校教育の杓子定規さについていけなかったという失意の経験がある（注2）。その感性が伸びやかすぎて、旧態依然としたシステムに耐えられなかったのであろう。現代日本の少年少女に触れてもらいたい繊細な感性の持ち主でもあった。

注1：タゴール・ソングについては、二〇二〇年ドキュメンタリー映画が公開され、評判となった（映画『Tagore Songs』佐々木美佳監督、ノンデライコ製作）。また、Tagore Songsで検索すると、実際の音源を視聴することができる。あるいは、Arnob, Tagoreで検索すると、人気歌手オルノブのポップなアレンジを視聴することができる。
注2：タゴールの評伝と作品紹介については、丹羽京子『人と思想 タゴール』（清水書院）が分かりやすい。

サミュエル・ベケット

1906-1989

出　身 アイルランド、ダブリン郡、フォックスロック

ジャンル 小説、詩、評論、戯曲、ラジオ・テレビ・映画脚本

日本語で読める主な作品

『新訳ベケット戯曲全集1　ゴドーを待ちながら／エンドゲーム』岡室美奈子訳、白水社
『新訳ベケット戯曲全集2　ハッピーデイズ：実験演劇集』長島確・岡室美奈子・鈴木哲平・木内久美子・西村和泉訳、白水社
『モロイ』宇野邦一訳、河出書房新社
『初恋／メルシエとカミエ』安堂信也訳、白水社
『また終わるために』高橋康也・宇野邦一訳、書肆山田

解説：岡室美奈子

サミュエル・ベケットの名を一躍世界に知らしめたのは、『ゴドーを待ちながら』（一九五二）だろう。日本の小劇場演劇はじめ世界の演劇に多大な影響を与え、不条理演劇の代名詞となったこの戯曲は、二人のホームレス、ウラジミールとエストラゴンが救世主ゴドーを待ち続ける劇だ。その新しさは、起承転結をもったストーリーやドラマチックな出来事、意味のある行為を排除し、「待っている」という状態を舞台化することで、「いま・ここ」に現前する俳優の身体そのものを前景化したことにあった。

到来しない救済を待ちわびるだけのこの劇は、死、沈黙、絶望といったネガティヴな言葉で語られがちである。しかし一九九三年に紛争のさなかのサラエヴォで、アメリカの思想家スーザン・ソンタグが上演したように、『ゴドー』は世界中で戦争や災害などが起こった場所で上演されてきた。それはこの劇が絶望の劇ではなく、すべてを失くした者たちのかすかな希望の劇であることを示している。

ベケットはアイルランド、ダブリン郊外の裕福な家庭に生まれ、頭脳明晰でスポーツ万能、整った容姿に恵まれていた。一九二八年、パリで同郷の作家ジェイムズ・ジョイスに出会い、その影響下に執筆活動を開始する。フランス語が堪能だったため、フランス語か英語で執筆して自己翻訳する珍しい作家となり、多岐にわたる創作活動のほとんどをフランスで行った。

しかし彼の人生は順風満帆ではなく、一九三〇年代には最愛の従妹や父の死、母との確執などによりパニック障害となってロンドンで精神分析治療を受けたり、パリで通り魔に刺されたりもする。その犯人が裁判で犯行の理由を問われ「わからない」と答えたというエピソードはよく知られている。第二次世界大戦中には対独レジスタンスに参加し、ゲシュタポから逃れて南仏のルシヨンに潜伏。終戦間際には激戦地ノルマンディーのサン＝ローの赤十字病院で働き、多数の無残な死を目のあたりにする。これらの不条理体験は後の創作活動に大きな影響を与えることになる。

ベケットの演劇には、既に死んでいるらしい登場人物が頻出する。三人がそれぞれ壺から顔だけを出して生前の三角関係について語る『プレイ』（一九六三）や、舞台上に人間の「口」だけが登場して他者のものなのか自分のものなのか曖昧な人生について語る『わたしじゃないし』（一九七二）などである。これらの作品には、舞台表象を徹底的に切り詰めて視覚的斬新さを追求する独特な演劇的手法とともに、生と死を断絶ではなく連続として捉える思想が表れている。そこには同郷のジョイスやW・B・イエイツらを経由して、生と死と再生を円環や螺旋として捉える祖国アイルランドの文化的土壌が影響を与えているように思われる。

ベケットは一九六九年にノーベル賞を受賞したが、授与式には出席せず、賞金は匿名で図書館や芸術家に寄付したという。

孤高の作家ベケットは、語るべきことは何もないというゼロ地点からストイックに言葉を紡ぎ続けた。その姿勢は小説『名づけえぬもの』（一九五三）の結びの言葉に凝縮されている。「続けなきゃいけない。続けられない。続けよう。」

ルイーズ・グリュック

1943-

出　身　アメリカ合衆国、ニューヨーク州

ジャンル　詩

日本語で読める主な作品

『アヴェルノ——冥界の入口』江田孝臣訳、春風社（近刊）
D・W・ライト編『アメリカ現代詩101人集』思潮社、2篇所収（江田孝臣訳）

解説：江田孝臣

二〇二〇年のノーベル文学賞を受賞したルイーズ・グリュックは、一九四三年、ニューヨーク市に生まれている。祖父はハンガリー系ユダヤ人の食料品店経営者。両親とも文学好きで、父は一時作家を志望した。教育熱心な母は、娘に常に高い目標を与えた。高校生のとき発症した拒食症の治療が長引き、大学は卒業していない。母離れに伴う葛藤が原因だった、とグリュック自身は言っている。

インタビューによれば自らを「ライター」と称している。「ポエット」は到達すべき目標であって、職業名ではないと言う。アメリカでは詩の朗読会が盛んだが、グリュックは自作を朗読することも、人に朗読されることも好まない。古風だが、詩人らしい詩人である。また、過去の自作を読み返すこともしない。事実、詩風は一作ごとに大きく異なる。

第一詩集『長子《ファーストボーン》』(一九六八)に明らかだが、若いころには、読者の理解を拒むような尖鋭的な詩を書いている。初期のロバート・ローエルや、師事したスタンリー・キューニッツの影響がうかがわれる。第二詩集以降、散文体に近いきわめて平明な口語自由詩体に転じる。饒舌を排して、言葉を切り詰めるのも大きな特徴だ。このあたりは十九世紀のエミリー・ディキンスンを思わせる。どの詩集にも苦難克服のモチーフが見出せる。その背後には母離れに伴う拒食症と精神分析療法の経験があり、グリュック生涯の主題となっている。

第四詩集『アキレスの大勝』（一九八五）において、同一主題のもとに短い抒情詩を連ねて長篇詩を紡ぎ出す、リリック・シーケンス（lyric sequence）という形式に開眼した。続く『アララト』（一九九〇）は、母と娘の関係を中心に家族を主題化している。ピュリッツァー賞を受賞した傑作『ワイルド・アイリス』（一九九二）では、植物を話者とするという奇抜な趣向で世を驚かせた（詩人と神も話者である）。『メドウランズ（湿地帯）』（一九九六）では、ホメロスの『オデュッセイア』の登場人物オデュッセウス、ペネロペ、キルケが話者となる。テレマコスの視点を導入することで成功している。より緩やかな連作形式をとる『新生《ヴィタ・ノヴァ》』（一九九九）では、「苦難克服」の主題がオルフェウスとエウリディケの物語を借りて神話化されている。『アヴェルノ』（二〇〇六）では、母離れの主題が、デメテルと娘ペルセポネの葛藤として神話化・寓話化されるほか、老いと死の問題も取り上げられる。短編小説風の『村の生活』（二〇〇九）では、田園地帯に生きる世俗の人々が描かれる。二〇二一年には『集団農場の冬のレシピ』の出版が予告されている。

公刊された邦訳には、D・W・ライト編『アメリカ現代詩一〇一人集』所収の二篇（江田孝臣訳）と、二〇二一年秋刊行予定の『アヴェルノ——冥界の入口』（同訳）がある。

候補に挙がったが受賞しなかった作家たち

三島由紀夫

1925-1970

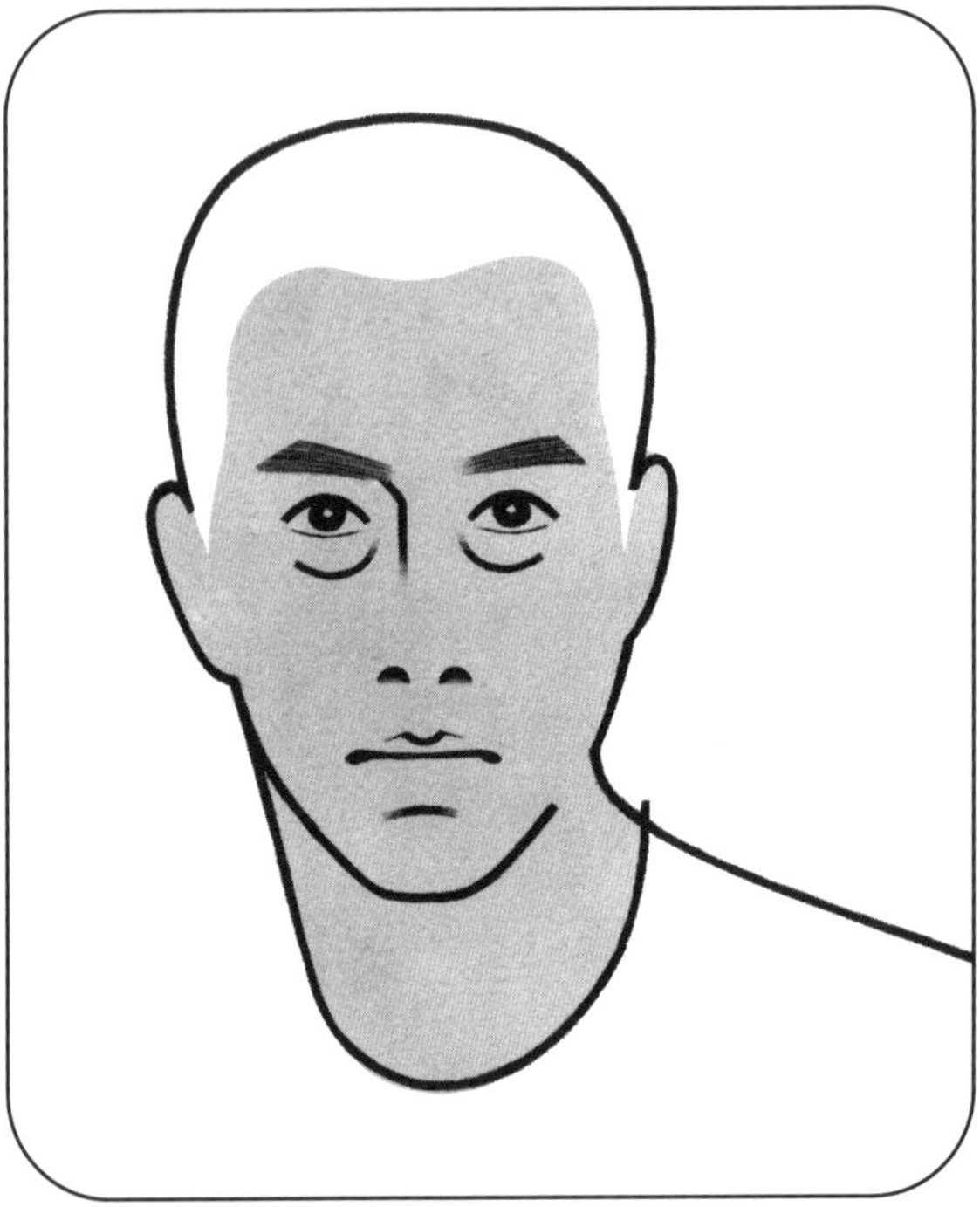

出　身　日本、東京都

ジャンル　小説、戯曲、評論など

日本語で読める主な作品

『金閣寺』新潮文庫
『仮面の告白』新潮文庫
『サド侯爵夫人・わが友ヒットラー』新潮文庫
『裸体と衣裳』新潮文庫
『太陽と鉄』中公文庫

解説：平野啓一郎

三島由紀夫は、一九二五年（大正一四年）に東京で生まれ、一九七〇年（昭和四五年）に没している。年齢が、昭和の年号と合致している事実が象徴的だが、二十歳で敗戦を迎えるまでの大日本帝国時代と、戦後の日本社会との断絶と連続性を身を以て生きた、戦後文学を代表する作家の一人である。

執筆活動は、小説を中心に戯曲、エッセイ、評論、日記、……と多岐に亘り、海外にも広く翻訳紹介され、一九六三年、六四年、六五年、六七年にはノーベル賞候補となっている。本人が如何にノーベル賞が欲しかったか、ということが、その人生と関連付けられて、取り分け多く語られる作家である。

他方、映画出演やボディビルによる肉体の誇示などを通じて、メディアの寵児ともなり、一九六七年の『平凡パンチ』の読者アンケート「オール日本ミスター・ダンディはだれか？」では一位に、翌年の「ミスター・インターナショナル」では、ドゴールに続いて二位に選出されるなど、今日で言うところの一種の「セレブ」でもあった。

しかし、三島の印象を決定づけているのは、それに加えて、六〇年代後半以降の「天皇主義者」としての政治思想運動であり、最期は、自衛隊市ヶ谷駐屯地で憲法改正を訴え、

「天皇陛下万歳！」と叫んで割腹自殺している。
今日に至るまで、三島のイメージは、複雑に入り組んでおり、その衝撃的な死の謎を巡る議論は尽きない。研究書、関連書は膨大な数に上り、没後五十年となった二〇二〇年には、テレビの特番や新聞・雑誌の特集記事、ドキュメンタリー映画の公開など、三島ブームが再燃した観があった。

華麗なレトリックと逆説的な心理分析、ニヒリズムを基調とする思想性を特徴とする三島文学は、大きく四つの時期に分けることが出来る。
①十代で『花ざかりの森』（一九四四）を刊行し、日本浪曼派界隈で天才少年扱いされていた終戦までの時期、②『仮面の告白』（一九四九）を皮切りに、戦後作家として再デビューを果たし、『潮騒』（一九五四）、『美徳のよろめき』（一九五七）、『金閣寺』（一九五六）と、代表作やベストセラーを次々に物して、「生きようと思った」という『金閣寺』の末文を受け、では実際に、戦後社会をどう生きるべきかを問うた『鏡子の家』（一九五九）発表までの三十代前半、③その『鏡子の家』に失敗作の烙印を捺され、同時に『宴のあと』事件、『風

流夢譚』事件、『喜びの琴』事件と、立て続けにトラブルに見舞われて、次第に死を強く意識するようになる三十代後半、そして、④『英霊の聲』（一九六六）執筆を皮切りに、天皇主義者としての立場を明確化し、楯の会を結成して政治思想運動を展開する四十代である。

三島の代表作に関しては、②の時期の『仮面の告白』及び『金閣寺』を挙げることには異論はあるまい。戦後の日記文学の傑作とすべき『裸体と衣裳』（一九五九）は、この時期の三島の生の充実ぶりを余すところなく伝えている。③は、模索の時期であるが、三島文学の多様な可能性という意味では興味深い。早熟という言葉そのものの①の時期は、やはり瞠目すべきであり、④のすべてを費やして書かれた『豊饒の海』（一九六九－七一）は、三島の存在論的な思想の集大成と見るべきだろう。

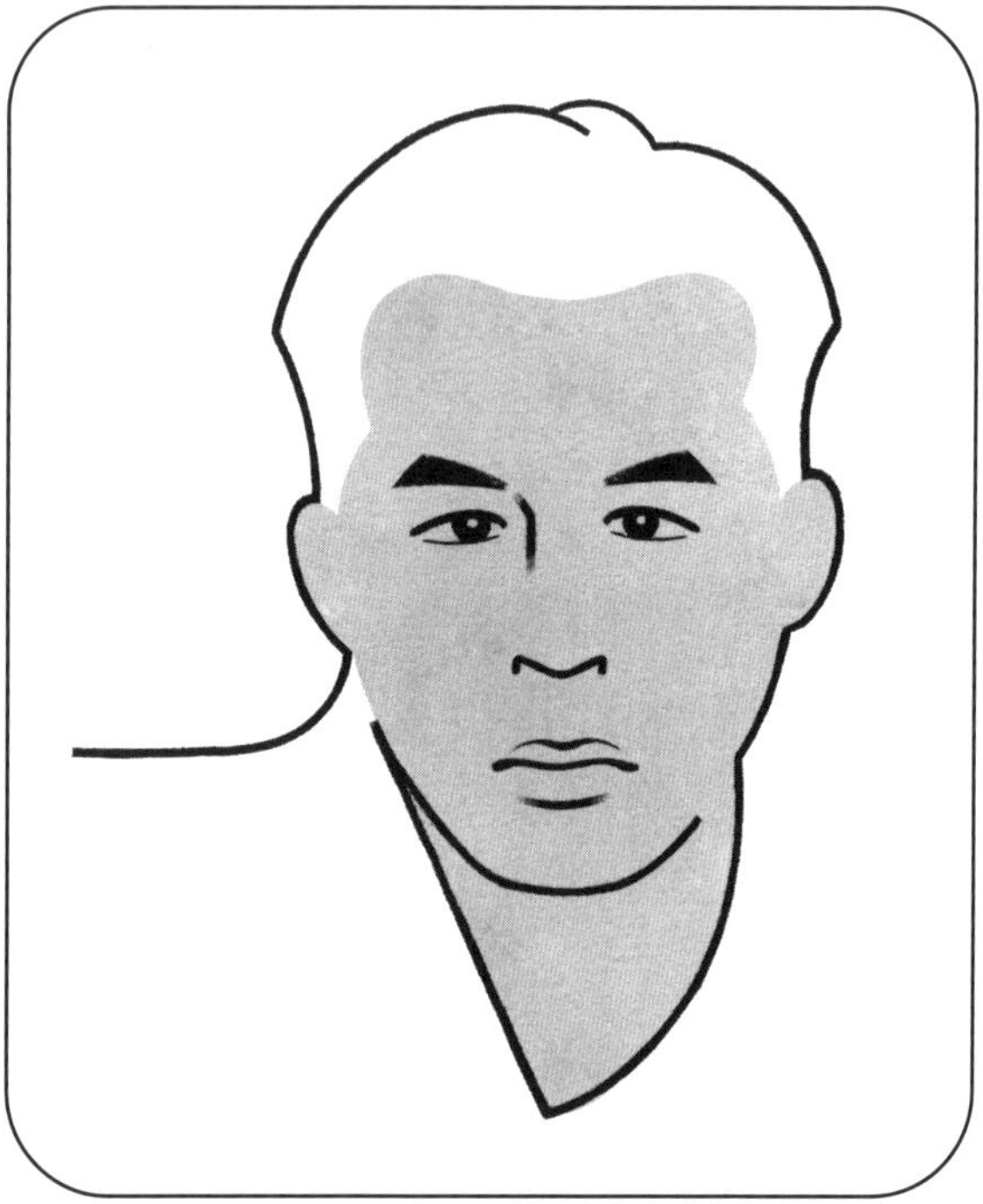

谷崎潤一郎

1886-1965

出身 日本、東京都

ジャンル 小説

日本語で読める主な作品

『春琴抄』新潮文庫
『吉野葛・盲目物語』新潮文庫
『細雪』新潮文庫
『刺青・秘密』新潮文庫
『瘋癲老人日記』中公文庫

解説：坂本葵

谷崎潤一郎というと「耽美」「情痴」「マゾヒズム」といったイメージが一般に流布しており、それゆえ敬遠している読者も一定数いるだろうが、実はそういう人にこそ読んでもらいたい作家の一人である。なぜなら、一見理解しがたい独特な人間関係や特殊な性癖を、圧倒的に豊かな文体によって存在感を持って描き、普遍的なものにまで高めてしまう手法のあざやかさにおいて、谷崎に並ぶ書き手はそうそういないと思われるからだ。

奇妙な男女の関係を描いた小説の中でも特異なのが「春琴抄」（一九三三）だ。盲目の三味線弾きである春琴に、丁稚であり弟子の佐助が献身的に仕えていく物語なのだが、わがままな春琴の横暴がすさまじく、練習中に佐助の額を撥《ばち》で殴り付けたりする。それでも佐助は春琴を崇拝し甲斐甲斐しく身の周りの世話を――と、これだけなら「やっぱり特殊すぎてついて行けない」と思われる向きもあろうが、さにあらず。読んでいるうちにいつの間にか彼らの世界に没入していき、長い年月をかけて春琴や佐助の暮らしを眺めているような気分になるのだ。顔に火傷を負い美貌を失った春琴をこれ以上見ないために、佐助が自ら目を潰し、それを春琴に告げるクライマックスの場面では、ある種の神聖な感覚にさえ襲われるだろう。

幼くして孤児になった男の母恋《ははこい》を描いた「吉野葛」（一九三一）では、「過去に母であった人も、将来妻となるべき人も、等しく『未知の女性』であって、それが眼に見えぬ因縁の糸で自分に繋がっていることは、どちらも同じなのである」という一見飛躍した理屈を語り手の友人・津村が披露する。しかしこの特殊な感覚も、母の面影を求めて吉野の山村を巡り歩く津村の旅が描かれるにつれ、次第に説得力を増すだけでなく、誰もが少なからず持っている母への思いや郷愁と共鳴作用を起こすのだ。

出世作「刺青」（一九一〇）の時点から、谷崎は女性の脚の美をフェティッシュに描くことにこだわり続けた。まだ「フェティシズム」という言葉がまったく一般的でない時代のことである。それは晩年の「瘋癲《ふうてん》老人日記」（一九六一－六二）において、好きな女性の足を拓本に取って自分の墓用の仏足石を作り、死後も永久に踏まれていたいという老人の願望に結実するのだが、よくぞここまで突き詰めたものだという奇妙な感動を覚える。老人は同時に、自分の願望が傍から見ればいかに狂ったものであるかということも自覚しているが、わかった上であえてしたたかに「やばい老人」であることを楽しんでいる。谷崎文学で繰り広げられるのは、明るく理性的な狂乱のカーニヴァルなのだ。

谷崎は生涯、時流におもねることなく自分の書きたいものにこだわって書き続けてきた。その徹底した姿勢と常に自分を対象化する俯瞰的な態度が、特殊なものを普遍的なものに昇華させ、谷崎文学を世界文学たらしめていると言えるだろう。

ホルヘ・ルイス・ボルヘス

1899-1986

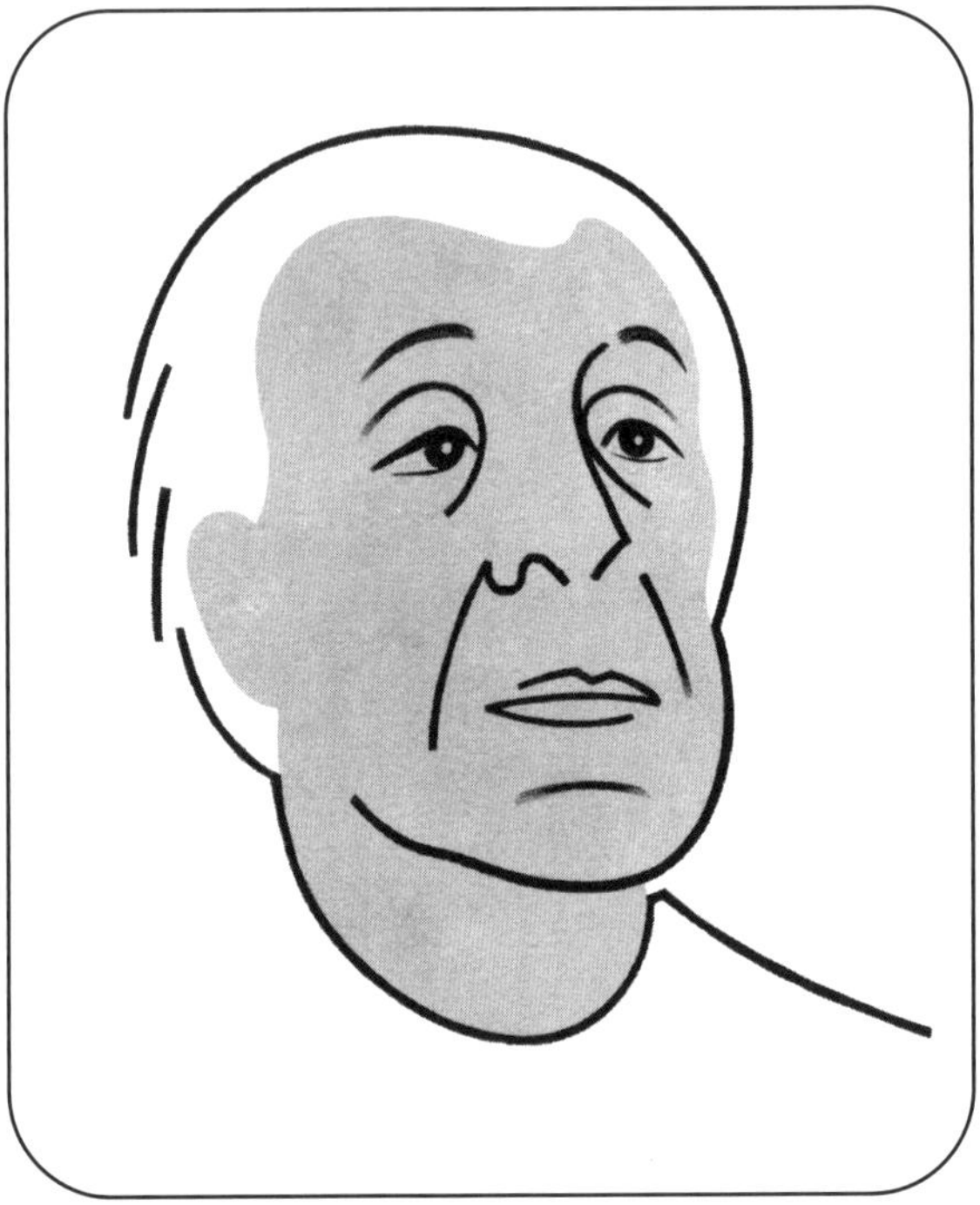

出　身　アルゼンチン、ブエノスアイレス

ジャンル　小説、詩

日本語で読める主な作品

『伝奇集』鼓直訳、岩波文庫
『アレフ』鼓直訳、岩波文庫
『七つの夜』野谷文昭訳、岩波文庫
『不死の人』土岐恒二訳、白水Uブックス
『幻獣事典』柳瀬尚紀訳、河出文庫(マルガリータ・ゲレロとの共著)

解説：野谷文昭

ボルヘスは英語版短篇アンソロジーに「自伝的エッセイ」を寄せているが、伝記的な事実は神秘的ではないとして、訊かれるのを好まない。だがそのことも、このステッキをついた盲目の老紳士にさらなる神秘的イメージを纏わせている。短篇「ボルヘスとわたし」で語るように、本人は実像としての彼と世界的作家としての虚像を敢えて分けている。

一八九九年にブエノスアイレスで生まれ、一九八六年にジュネーブで亡くなったこの作家の巡回展を、たまたまメキシコで見る機会があった。例のステッキや米国の大学で名誉博士号の授与式に着たガウン、著作と蔵書、特殊な文字というより記号で書かれた手稿など、ファンが喜びそうな品々もあったが、全体としては地味だった。ブエノスアイレスの、後に伴侶となった秘書のマリア・コダマと通ったという食堂は大衆的だし、設立準備中のボルヘス財団にあった蔵書はわずかだった。一つには彼が自分の著書を他人に譲ってしまったからだ。書物を通じて時空を旅した彼には、敬愛する古典作家の本と自分の本を書架に並べて置くのは不遜だという考えがあった。若き日の渡欧で前衛詩に触れたが、彼自身は破壊的前衛とはならず、先人に対しては謙虚だった。それが保守主義者としての自認に繋がることになる。

詩や短篇にも出てくる、名のある軍人を先祖に持っていたためか、折目正しさと勇気の持ち主として美化された軍人に対してはある種の敬意と憧れを抱いていたようだ。全体主義、ナチズム、共産主義、ペロニズムを嫌いながらも、チリのアジェンデ政権を倒したピノチェト将軍の招きに応じてしまったのはそのせいではないか。ただ、それは彼にとって痛手となった。以来、ノーベル賞候補から外されてしまったからだ。

彼はこう述べる。「わたしは自分を何よりもまず読者だと考えている。その次に詩人、ついで散文作家という順番だ。」その作品は、子供時代からの読書歴を示す書名や引用に満ち満ちていて、とりわけ古典への言及や引用には目を見張らされる。師範学校で心理学を教えていた父親の書庫を遊び場とし、母方の祖母と家庭教師がイギリス人で、家庭内では英語が話されていた環境は、イギリス文化の雰囲気に包まれていたようだ。九歳の頃にはオスカー・ワイルドの『幸福の王子』をスペイン語に訳している。

『伝奇集』（一九四四）や『アレフ』（一九四九）に収められた短篇を読むと、他人が見ている夢を自分が見ている気がする。驚異をもたらす図書館にせよ、世界のすべてを映す小球体にせよ、非在のものでありながら視覚に訴える。射程の長い時間感覚はＳＦのようだ。

一方、語り手が披露する論理は、筋が通っていながらどこか奇妙で、ユーモラスでさえある。ポストモダンに先駆けて、すべては書き尽くされているという意識そのものを短篇化し、瞬間と永遠を小さくて大きな作品で表現する。無限という概念を核に寓話的物語が書けた作家は彼ぐらいだろう。そこには文学とともに科学や数学の本を読み漁った知的読者ボルヘスがいる。

エズラ・パウンド

1885-1972

出　身 アメリカ合衆国、アイダホ州

ジャンル 詩

日本語で読める主な作品

『エズラ・パウンド詩集』新倉俊一訳、角川書店
『詩学入門』沢崎順之助訳、冨山房
『パウンド詩集』城戸朱理訳編、思潮社
『ピサ詩篇』新倉俊一訳、みすず書房
『エズラ・パウンド長詩集成』城戸朱理訳編、思潮社

解説：江田孝臣

W・B・イエイツは、一時その秘書役を務めた二十歳年下のエズラ・パウンドに感化にされ、後期ロマン主義を脱してモダニストになることができ、一九二三年、ノーベル賞を受賞した。T・S・エリオットとアーネスト・ヘミングウェイは、ともにパウンドの弟子同然であったが、それぞれ一九四八年、一九五四年にノーベル文学賞を受賞した。ノーベル賞こそ逃したが、ピュリッツァー賞を四回も受賞した国民詩人ロバート・フロストも、パウンドの助力のお陰で初期の詩集を出版できた。ウィリアム・カーロス・ウィリアムズもまた、大学時代にパウンドと出会わなければ三流詩人で終わったことは確実である。その他、物心両面でパウンドの感化と支援を受けた文学者、芸術家は数え切れない。文学史上では、二十世紀前半はかつて「エリオットの時代」と呼ばれた。アメリカ詩に限れば二十世紀後半は、異論も多かろうが、「ウィリアム・カーロス・ウィリアムズの時代」であるかもしれない。しかしながら二十世紀全体は「パウンドの世紀」と呼んで間違いない。パウンドがいなければ、アメリカ・モダニズム詩はまったく違ったものになっていた。パウンドの革新運動の要点は、口語自由詩の提唱、世界文学（特に唐詩と日本の俳句と能）の摂取、および古典主義にある。

そのパウンドがノーベル賞を受賞しなかった理由は歴然としている。イタリア在住時代にムッソリーニに接近し、アメリカ参戦前にはローマからの海外放送でアメリカ国民に戦争中立を呼びかけ、参戦後はルーズベルト大統領を罵倒するなどしたために、戦後国家反逆罪に問われたからである（精神異常を理由に起訴は免れ、十二年余りを精神病院で過ごした）。要するにファシズムと反ユダヤ主義に加担したのだ。この事実そのものには釈明の余地はないが、そこに至る動機と経路は、文学批評的に興味深い研究課題を孕んでいる。一九〇八年から二〇年までロンドンに在住しながら、ニューヨークの文学運動とも連携して、アメリカ・モダニズムを強力に牽引した。三年間のパリ滞在を経て、イタリアのラパッロに移る。一九三〇年代の大恐慌時代には、経済学の研究にのめり込み、ソーシャル・クレジット理論を信奉する。自らの経済理論を実践してくれることを期待して、独裁者ムッソリーニに接近したのだった。一九五八年、エリオットやフロストらの釈放嘆願運動が実り、イタリアに戻り、晩年を過ごした。

代表作を二つ挙げれば、詩選集『ペルソナ集』（一九二六）と八百頁を超す長篇詩『キャントーズ』（一九七二）である。訳詩集でその多くが読めるが、ライフワークである後者の完訳はいまだ存在しない。

エルンスト・ユンガー

1895-1998

出　身　ドイツ帝国、ハイデルベルク市

ジャンル　小説、エッセイ、評論

日本語で読める主な作品

『エウメスヴィル——あるアナークの手記』田尻三千夫訳、月曜社
『パリ日記』山本尤訳、月曜社
『ユンガー政治評論選』川合全弘訳、月曜社
『ヘリオーポリス』田尻三千夫訳、国書刊行会
『言葉の秘密』菅谷規矩雄訳、法政大学出版局

解説：松永美穂

エルンスト・ユンガーは一八九五年にハイデルベルクで薬剤師の息子として生まれた。ユンガーについては、第一次世界大戦の従軍体験がよく知られている。志願して入隊し、何度も重傷を負い、勲章をもらった。終戦後も職業軍人であったが、その後大学に入り、動物学や哲学を学んだ。作家活動は早くから始めており、一九二〇年に従軍日記を基にした『鋼鉄の嵐の中で』を自費出版している。英雄的リアリズムの作家と目されたが、一九二〇年代後半は民族主義の革命家として活動した。彼の主張はマルティン・ハイデガーやカール・シュミットにも影響を与えたといわれている。ナチスが台頭する道を開いたとの批判も受けたが、ナチズムに取り込まれることはなく、ヒトラー政権が誕生すると政治から距離をとって隠棲生活を送るようになった（森で昆虫観察をしていた、というエピソードが面白い）。やがて第二次世界大戦で召集され、ドイツ軍のパリ占領軍務に加わった経験を『パリ日記』（一九四九）に記している。ドイツ敗戦後は占領軍から、四年間の出版禁止処分を受けた。しかし、処分が解除されると次々に著書を出版。「二十世紀のゲーテ」と呼ばれるまでになる。

二度の世界大戦を軍人として経験し、長寿もさることながら、作家生活も七十年以上におよび、戦後ヨーロッパの政治家や知識人からも一目置かれたユンガー。その浩瀚な日記は歴史的証言としての価値を持つ。評論も数多いが、特に邦訳の『ユンガー政治評論選』には一九二〇年代から一九四五年までの評論が収められており、戦争論、平和論、ナチズム論などの重要な内容が含まれていて非常に興味深い。一九二七年の時点では、ユンガーはナチズムに一定の肯定的評価を下しているように見える。

ユンガーは小説も書き、言語論や、昆虫記も書いた。戦後は数々の賞も受けた。そして、一九五六年と六一年、六四年、六五年、六六年に、ノーベル文学賞にノミネートされた。特に一九六五年には、ドイツの古典哲学教授とフランスの仏文教授の二人が彼を推薦している。ユンガーがもっともノーベル賞に近かったのはこの年かもしれない。ただ、実際の受賞者はソ連のショーロホフだった。

戦後、ドイツ語文学の書き手としてはヘルマン・ヘッセやネリー・ザックスがノーベル文学賞を受賞しているが、この二人はドイツ国外に移住し、国籍も変えた人々だ。ドイツ国籍の持ち主がノーベル文学賞を受賞するのは、一九七二年のハインリヒ・ベルまで待たなくてはいけなかった。

ユンガーは毀誉褒貶の激しい作家だった。ナショナリストだった過去を引き合いに出されることも多かった。一方で、一九四四年にヒトラーの暗殺を企てたシュタウフェンベルク・グループのあいだで、ユンガーの評論（平和論）が愛読されたというエピソードもある。いずれにしても、スケールの大きな作家だった。日本では最近もユンガーの著作の邦訳が続いており、アクチュアリティーは今も失われていない。

ウラジーミル・ナボコフ

1899-1977

出　身 ロシア帝国、サンクトペテルブルグ

ジャンル 小説、詩

日本語で読める主な作品

『アーダ』若島正訳、早川書房
『賜物』沼野充義訳、河出書房新社
『ロリータ』若島正訳、新潮文庫
『カメラ・オブスクーラ』貝澤哉訳、光文社古典新訳文庫
『ディフェンス』若島正訳、河出書房新社

解説：松下隆志

人はなぜ小説を読むのだろう？　感動やスリルを味わうためと言う人もいれば、新たな知識を得るためと答える人もいるだろう。しかしナボコフに言わせれば、彼らはしょせん二流の読者にすぎない。一流の読者とは「再読者」、つまり一つの作品を繰り返し何度も、一行一行、はては一語一語に至るまで、丹念に読み直す読者である。効率やスピードばかりが重視される現代社会においてはいかにも反時代的な態度だが、一流の小説をじっくり時間をかけて——数年、ときには生涯にわたって——読み続けることこそ、理想とすべき読書の究極の形ではないだろうか。

世紀末ペテルブルグの貴族の家庭に生まれたナボコフは、ロシア革命後の一九一九年、一家ともどもヨーロッパに亡命する。この時代のナボコフは「シーリン」というペンネームで創作活動を行い、初期の作品には既に作家の類い稀なる才能が存分に発揮されている。ナボコフはチェスの愛好家で自前のチェス・プロブレムまで発表しているが、ある天才チェスプレイヤーの破滅を描いた長編『ディフェンス』（一九三〇）で、作者はあたかもチェスの対局のようにテクストという盤面の随所で巧みなコンビネーション＝伏線を次々に仕掛け、それによって対戦相手＝主人公を破滅へと追いやっていく。ナボコフの作品は常にこうした「仕掛け」に満ちており、ロシア語時代の最高傑作と言われる大作『賜物』（一九三七－三八）では、主人公が書いたチェルヌイシェフスキー（十九世紀ロシアの進歩的思想家）の百ページ以上にわたる伝記小説が「小説内小説」として一章まるごと挿入されている。

一九四〇年にアメリカに移住後、ナボコフはポストモダン小説の先駆けとされる長編『セバスチャン・ナイトの真実の生涯』（一九四一）で英語作家に転身し、中年男の美少女への倒錯的な愛を描いた『ロリータ』（一九五五）のベストセラー化によって一躍世界的名声を得ることになる。いわゆる「ロリータ・コンプレックス」の由来として知られ、出版当時はポルノグラフィーとして数ヵ国で発禁処分を受けた曰くつきの作品だが、そうした内容を期待して気軽に読める作品でないことは言うまでもない。ベストセラー作家となった後も、九九九行の詩と膨大な註釈から成る実験作『青白い炎』（一九六二）、地球に似た「テラ」と「アンチテラ」という架空の惑星を舞台に、ハイブリッドな言語や文学的アリュージョンが乱れ飛ぶ著者最大の長編にして最大の問題作『アーダ』（一九六九）など、小説の可能性をどこまでも追求するストイックな創作姿勢は、一九七七年に再移住先のスイスで死去するまで変わることがなかった。

ナボコフは一九六三年から四年立て続けにノーベル文学賞にノミネートされたが、『ロリータ』の「不道徳性」を理由に受賞できなかったと言われる。しかし、プルーストやジョイス、あるいはトルストイと同じように、受賞の有無に関わりなく、ナボコフが二十世紀のもっとも重要な世界文学作家の一人であることは、今日誰の目にも明らかだろう。

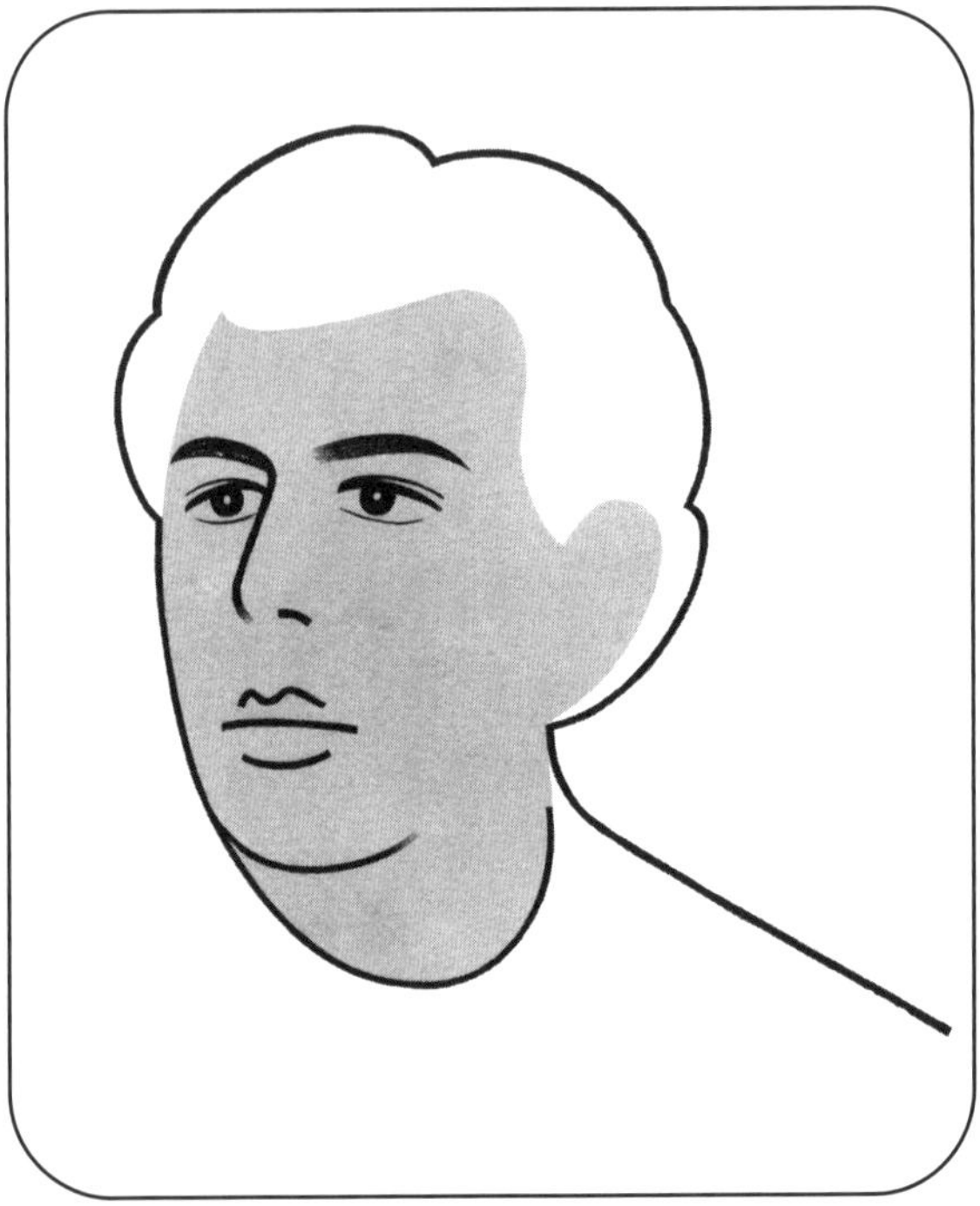

アンドレ・ブルトン

1896-1966

出　身 フランス、ノルマンディー地方、タンシュブレー

ジャンル 詩、エッセー

日本語で読める主な作品

『ナジャ』巖谷國士訳、岩波文庫
『シュルレアリスム宣言・溶ける魚』巖谷國士訳、岩波文庫
『通底器』足立和浩訳、現代思潮社
『狂気の愛』海老坂武訳、光文社古典新訳文庫
『シュルレアリスムと絵画』瀧口修造・巖谷國士監訳、人文書院

解説：鈴木雅雄

これほどノーベル賞に似つかわしくない候補者も珍しいだろう。それはまず、賞を授与され、公に認められること自体が創造の自由に反するというのが、シュルレアリスムの一貫した態度だったからだが、それと同時にブルトンのテクストには、名作という普遍的な価値を持つことに、どこまでも抵抗する何かがあるように思えるからである。

何も意図せずに言葉を紡ぎ出すという、いわゆる「自動記述」の実験によって文学言語に新しい領域をつけ加え、二十世紀最大の文学・芸術運動と形容してもいいであろうシュルレアリスムの創始者となり、かつその中心人物であり続けたという経歴は、一つの時代を代表する作家のものであるようにも見える。だがブルトンは時代を代表しないし、そもそもシュルレアリスムをさえ「代表」はしない。彼は多くの友人たちと共振しあい、そのことによって書かせ、あるいは描かせた。しばしばその同じ友人たちと激しく対立し、強い反発の対象となりながらも、ブルトンは本質的に媒介者だったのである。

だがそうでありながら、ブルトン自身のテクストもまた強い力を持っている。それは納得させるのでも感動させるのでもなく、動揺させる。書き手自身がみずからを越えた何かの力に襲われて動揺しており、読者もまたそれに共振するのだが、一つの運動を基礎づけるのが理論や主張である以上に困惑の共有であるとは、なんとも不思議な事態ではなかろうか。

ブルトンのもっともよく読まれてきた書物である『シュルレアリスム宣言』（一九二四）を開いてみよう。そこにはいかなる宣言もなく、現実に対する書き手の違和感、その違和感の中で突然言葉がやって来てしまう体験、そしてその体験があなた自身のものでありうるかもしれないという無根拠な断言が書きつけられている。あるいはもう一冊のよく知られた書物、『ナジャ』（一九二八）を開いてみよう。語られるのは、ナジャと名乗る謎めいた女性との出会いと、彼女とのあいだで起きた説明のできない一連の出来事、ブルトンを愛してしまったナジャがやがて姿を消し、その後狂気に陥ったらしいという報告、そしてただ「君」とだけ呼ばれている女性への情熱的な愛、などだ。ブルトンは自らを翻弄した出来事の群を、説明なしにただ差し出している。

確かに『ナジャ』に連なる他の書物、『通底器』（一九三二）や『狂気の愛』（一九三七）は、同じくブルトンの人生に介入した驚異的な出来事を語りつつ、困惑に意味を与え、理論化していくようにも見える。だがそこにあるのはむしろ、驚異的なものの誘惑とそれを理解しようとする意志の闘いである。イメージに襲われる多様な体験を描き出す絵画論、精神分析や人類学の特殊な受容なども、みなこの意志に奉仕するものだろう。

答えがほしい人はブルトンを読むべきではない。だが彼のテクストは、答えなどないという当たり前の事実とともに生きようとするものにとって、裏切ることのない同伴者であり続けていくに違いない。

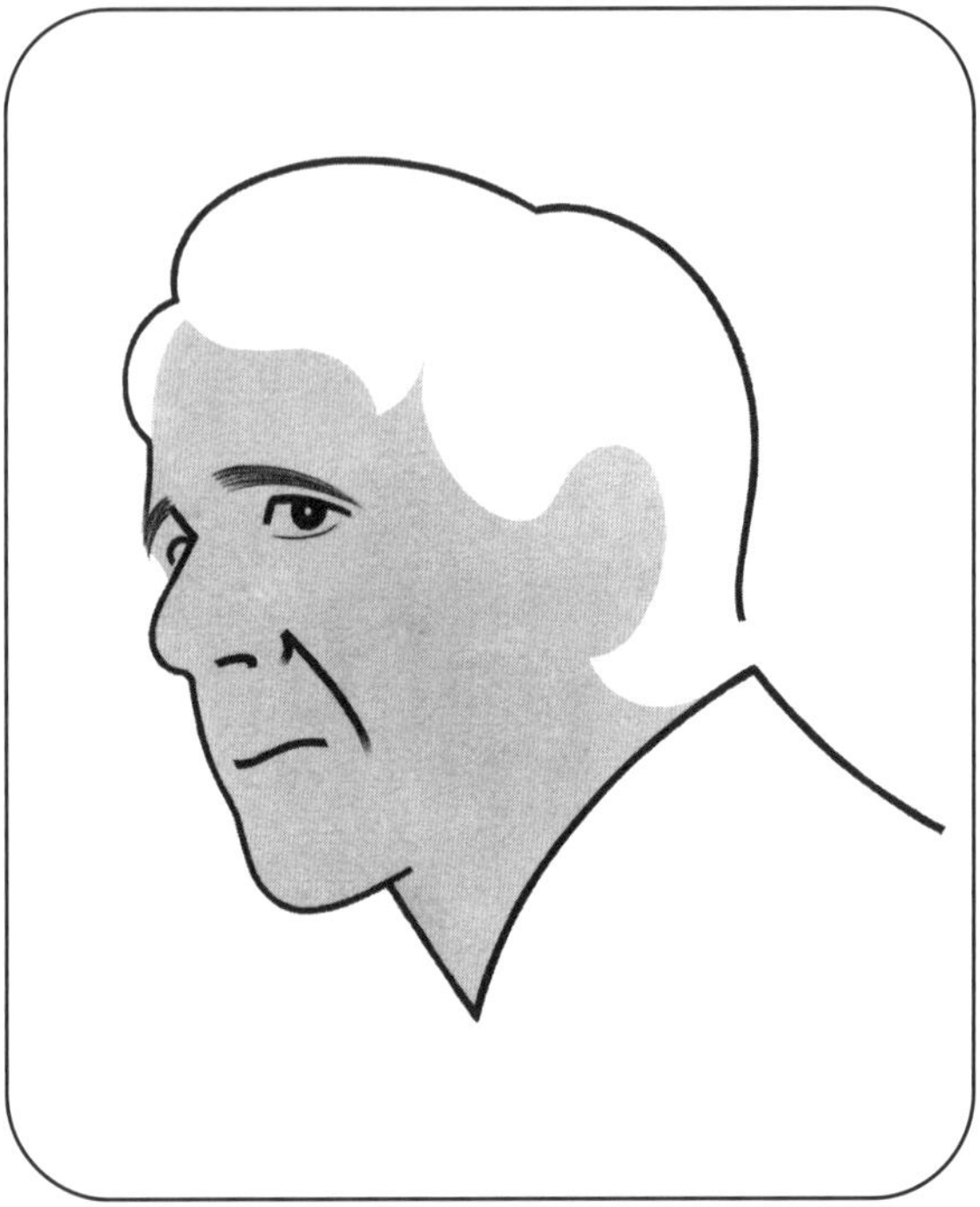

ロバート・フロスト

1874-1963

出　身　アメリカ合衆国、カリフォルニア州、サンフランシスコ

ジャンル　詩、戯曲

日本語で読める主な作品

『対訳フロスト詩集』川本皓嗣訳、岩波文庫
※入門書として最適。

『アメリカのライト・ヴァース』西原克政著、港の人
※エッセイ「フロストの「雪の降りつもる夕暮」再考」所収。訳も味わい深い。

『ロバート・フロストの牧歌の技法』ジョン・F・リネン著、藤本雅樹訳、晃洋書房
※実直な研究書。

解説：山内功一郎

ノーベル文学賞こそ逃したが、ロバート・フロストといえば二十世紀のアメリカを代表する「国民詩人」。定型詩の韻律と親しみやすい口語を調和させた作風で広く知られており、「選ばなかった道」（一九一六）や「雪の夕暮れに、森のそばに足をとめる」（一九二三）などのアンソロジー・ピースも数多く残している。限られたスペースでフロストについて語るのならば、それら短めの作品に触れるのが定石だろう。だがここでは、「雇われ農夫の死」（一九一四）という初期の対話詩を取り上げてみたい。一六〇行余りのこの一篇はこんなふうに始まる――「メアリーはテーブルのランプの炎をじっと見つめていた／ウォレンの帰りを待ちながら。足音が聞こえると／彼女は暗い廊下をそっと駆けていった／戸口で彼を迎えると、心構えができるようにこう伝えた。「サイラスが戻ってきたの」」。どうやら農家の夫婦のもとに、雇われ農夫が不意に戻ってきたらしい。しかしこのサイラスという男、もうだいぶくたびれた老人だし、もともとかなり問題のあるやつだったようだ。なにしろ干し草作りの繁忙期になると、きまってだれかに小遣い銭でおびきだされ、どこかへ姿をくらませてしまった前科がある。だからこれまで何度も煮え湯を飲まされてきたウォレンには、もうサイラスを迎え入れてやる気などない。

ところがそんな夫に対してメアリーが「死ぬために彼は家に戻ったの」と述べたことがきっかけとなり、夫婦のあいだで「家」(home)を巡る持論の応酬が交わされることになる。まずウォレンの見解はと言えば――「家というのは、帰るしかなくなったやつがいたら、そいつを迎え入れるしかない場所さ」。それに対するメアリーの応答は――「私に言わせてもらえば――／何も資格を問われずに帰れるところ」。ご覧のように、ウォレンは「家」とは他に行き場を失った者を否応なく「迎え入れるしかない」場所だと定義しているし、家族でもない自分がそんな義務を負わされるのはごめんだと考えている。だが一見するとウォレンの言いまわしをやんわりと訂正しているにすぎないかのようなメアリーの発言は、実は「家」を義務ではなく資格不問の権利が生じる場所へと読み替えているのである。その結果、残りの詩行においては夫の現実主義よりも妻の博愛主義のほうが優勢になってくる――とくれば、この詩は最後には美談に落ち着きそうな印象を与えるかもしれない。ところが実際は、末尾で唐突にサイラスの死が発覚することによって、現実主義も博愛主義も宙づりにされたまま幕切れとなってしまう。

自作を単なるきれいごとへと落としこんだりせずに、読み手に鋭い疑問を突きつける手腕は、冴えた詩人ならではのものだ。それと比べれば、この詩の書き手が後年手に入れた「国民詩人」という通称も、ただの邪魔っけな金看板にすぎないだろうか？　その点については断言を控えておくが、この詩人の手練手管には確かにつきあう価値があるだろう。

ショーン・オケイシー

1880-1964

出　身　アイルランド、ダブリン

ジャンル　戯曲

日本語で読める主な作品

『狙撃兵の影』小田島雄志訳、現代世界演劇12『リアリズム劇』、白水社

『ジューノウと孔雀』勝田孝興・三浦道夫訳、世界戯曲全集第9巻『愛蘭劇集』、世界戯曲全集刊行會

『鋤と星』渡部浩子訳、『テアトロ』1969年11月号、テアトロ

『にわとり』菅原卓訳、『今日の英米演劇1』、白水社

『紅塵』小田島雄志訳、『新劇』1968年2月号、白水社

解説：三神弘子

ショーン・オケイシーは、英国統治下にあったアイルランドの首都ダブリンで一八八〇年に生まれた。和暦で言うと明治十三年生まれのオケイシーは、今でもアイルランドで「現役」の劇作家である。『アイリッシュ・タイムズ』が二〇〇一年に実施した「二十世紀の演劇ベストテン」では、彼の『ジューノーと孔雀』（一九二四）が堂々の一位、『鋤と星』（一九二六）が六位に入っている。この二作にデビュー作の『狙撃兵の影』（一九二三）を加えた三作は「ダブリン三部作」と呼ばれ、今日に至るまで上演が繰り返されている。

十二世紀末から七百年以上にわたって英国の植民地であったアイルランドは、一九二二年に南部の二十六州が独立し、アイルランド自由国を誕生させた。オケイシーの最初の作品がアビー・シアターで上演されたのは、独立の翌年にあたる一九二三年であるが、一九二六年にかけて順次上演された三部作には、アイルランドの直近の苦悩の歴史が刻まれている。『鋤と星』には一九一六年の復活祭蜂起が、『狙撃兵の影』には一九一九〜二一年の独立戦争が、『ジューノーと孔雀』には一九二二〜二三年の内戦が、ダブリンに生きる市井の人々を苦しめる悲劇的状況として描かれるが、同時に舞台上で展開する喜劇的な人間模様が、初演当時から今日に至るまで観客を魅了し続けている。続く『銀杯』（一九二八）

は第一次世界大戦を扱った作品であるが、表現主義的手法で描かれた戦場の場面にリアリティがないという理由で、アビー・シアターの上演を却下された。劇場側から、経験のないヨーロッパの戦場を描くのでなく、ダブリンを描くことに集中すべきだと言われたことが遠因となり、オケイシーは祖国を去り、生涯、英国に住み続けた。オケイシーという才能を失ったことはアビー・シアターにとって大きな損失であったが、彼にとっても、劇場との緊密な関係が失われたという点で、その後のキャリアに大きな影響を与える結果となった。『銀杯』以降の作品は、上演よりも出版が先行し、その後上演されたとしても、アマチュア劇団によることが多かった。ダブリン三部作以降の作品は、今後、上演を重ねることを経た上での再評価が期待される。また、英国で執筆を始めた六巻からなる『自伝』の評価も高い。

オケイシーは、一九四九年以降、死の前年の一九六三年まで、実に十回もノーベル文学賞候補にあげられている。この点について本人はほとんど無関心で、ジェイムズ・ジョイスが選出されない文学賞に疑念を感じていたそうである。アイルランドや英国の名だたる大学からの名誉博士号授与の打診に対しても、彼は辞退し続けた。「自然も神も、自分には、そのような名誉は似合わないと言っている……私は、陽気で、貧しいが惨めではない吟遊詩人にすぎず……ハープにのせていくつか唄を歌っているだけなのだ」といつも同じ理由を繰り返していたという。

ちなみに、『ジューノーと孔雀』は、一九三〇年にヒッチコックが、『鋤と星』は一九三六年にジョン・フォードが映画化しており、それぞれＤＶＤ化されている（残念ながら、日本では未発売）。

受賞が期待される作家たち

村上春樹

1949-

解説：斎藤寿葉

出　身　日本、京都府

ジャンル　小説、エッセイ、紀行文、ノンフィクション

日本語で読める主な作品

『風の歌を聴け』講談社文庫
『世界の終わりとハードボイルド・ワンダーランド』新潮文庫
『ノルウェイの森』講談社文庫
『ねじまき鳥クロニクル』新潮文庫
『一人称単数』文藝春秋

村上はデビュー以来、社会と積極的に関わったり戦ったりせず、自分のテリトリーを維持しようとする青年を描くのが特徴の一つと考えられていた。しかし、一九九七年に地下鉄サリン事件被害者へのインタビューをまとめた『アンダーグラウンド』、九九年にはオ

ウム真理教信者への取材に基づく『約束された場所で』、さらに二〇〇〇年には阪神・淡路大震災をテーマにした連作集『神の子どもたちはみな踊る』を発表するなど、社会的な大事件や問題を正面から取り扱うことも行うようになる。作家としてのスタンスが変化していったことについて、村上自身は「デタッチメントよりもコミットメントがとても大事になってきた」と述べている。

二〇〇九年、イスラエルの『ハアレツ』誌が選出するエルサレム賞を受賞。イスラエル軍のガザ地区侵攻が国際的な批判を集めていた時期であり、受賞を辞退すべきとの声も上がったが、村上は授賞式に出席し記念講演を行った。このとき彼は、システムと個々の人間の関係を「高い壁とそこに叩きつけられる卵」のメタファーに仮託し、システムがときに冷徹かつ効率的に人々を搾取し、命を奪うという現実を指摘。作家として自分はどんなときも「卵の側に立ち続ける」と語った。

文学作品の翻訳も数多く手がける。初めて翻訳を世に出したのは『風の歌を聴け』が『群像』に掲載されてからわずか二か月後のことだった。それ以降も彼の小説家としての歩みは常に翻訳活動とともにあったと言える。

多和田葉子

1960-

解説：斎藤寿葉

出　身　日本、東京都、中野区

ジャンル　小説、詩

日本語で読める主な作品

『かかとを失くして　三人関係　文字移植』講談社文芸文庫
『犬婿入り』講談社文庫
『ヒナギクのお茶の場合　海に落とした名前』講談社文芸文庫
『地球にちりばめられて』講談社
『星に仄めかされて』講談社

大学卒業後にドイツへ渡り、永住権を取得。ドイツ語と日本語の二か国語で執筆活動を行っている。渡独のきっかけになったのは、「母語の外側に出て、そこで感じるものから創作をしたい」というおもいだった。一九八七年に最初の単行本『*Nur da wa du bist da ist nichts* あなたのいるところだけなにもない』を出版。この本は左右両綴じで、ドイツ語と日本語両方の表紙がついており、日本語で書かれた詩や短編とそのドイツ語訳が収められている。

『地球にちりばめられて』(二〇一八)において、母語を共有する人々の共同体を失い、移民として生きることを余儀なくされたHirukoは、スカンジナビア諸国語が混じり合ったパンスカという独自の言語を創作する。この言語には完成形がなく、「いま生きている自分」を反映しながら絶えず変わり続ける。同じ母語の話者を探すHirukoの旅には、多様な言語的・文化的背景を持つ仲間が加わり、他者性を排除しない、開かれたコミュニティを形成していく。日々当たり前のように使用する母語は、私たちを文化的な常識の中に閉じ込める。母語共同体の喪失はHirukoを解放し、彼女の紡ぐ言語は私たちの思考を柔らかくする。伝わるけれど少し引っかかる、という母語以外を用いたコミュニケーションの経験は、言葉や言葉で表現される意味内容、話者についての新たな発見のきっかけとなる。Hirukoの物語は三部作で、第二作の『星に仄めかされて』が二〇二〇年に発表されたところだ。

グギ・ワ・ジオンゴ

1938-

解説：斎藤寿葉

出　身　ケニア、リムル

ジャンル　小説、評論

日本語で読める主な作品

『泣くな、わが子よ』宮本正興訳、第三書館
『川をはさみて』北島義信、門土社
『一粒の麦――独立の陰に埋もれた無名の戦士たち』小林信次郎訳、門土社
『精神の非植民地化：アフリカ文学における言語の政治学』宮本正興、楠瀬佳子訳、第三書館

イギリス植民地時代のケニア農村で生まれた。少年時代には「白人を追放し、土地を取り戻そう」という機運が高まっており、ジオンゴの兄の一人も民主独立運動に参加した。『泣くな、わが子よ』（一九六四）は大学在学中の作品で、四〇年代半ばから五〇年代末に

かけてのケニア農村が舞台である。少年ジョローゲはイギリスの植民地支配下で「英語を勉強して家族のために高収入を得る」という目標に向かい努力している。しかし、革命に伴う混乱は、彼の目標を支えていた社会の基盤そのものを覆す。無力な子供の経験を通して、ジオンゴは、ケニア植民地の実情と革命が一般の人々に及ぼす影響を描いた。

一九七七年に発表した *Petals of Blood* では独立後の政権の腐敗を暴く。ギクユ農村の識字運動と民衆劇上演にも携わったが、この劇は反体制的内容であるとみなされ、上演差し止めとなった。自身も拘禁状態に置かれたが、その間にトイレットペーパーに文字を書きつけ、*Caitaani Mutharaba-Ini (Devil on the Cross)* を仕上げている。以降、植民言語である英語と決別し、ギクユ語で執筆するようになった。「アフリカ人作家はアフリカ諸言語とひとつにならなければならない」との信念を持ち、創作活動に加えて、論文や批評も手掛ける。『精神の非植民地化』(一九八六)では、自らの文学者としての経歴を整理し、英語での執筆をやめてアフリカの民族言語で書き始めた理由を現代アフリカの社会的・文化的状況と関連づけながら説明している。

マリーズ・コンデ

1937-

解説：斎藤寿葉

出身 フランス領グアドループ、ポワンタピートル

ジャンル 小説、戯曲、児童文学

日本語で読める主な作品

『わたしはティチューバ――セイラムの黒人魔女』風呂本惇子訳、新水社
『生命の樹 あるカリブの家系の物語』管啓次郎訳、平凡社
『風の巻く丘』風呂本惇子・元木淳子・西井のぶ子訳、新水社
『心は泣いたり笑ったり――マリーズ・コンデの少女時代』くぼたのぞみ訳、青土社
『越境するクレオール マリーズ・コンデ講演集』三浦信孝訳、岩波書店

パリで教育を受けた後、自らの起源を求めアフリカへ渡る。しかし、彼女はそこで「アフリカ」や「アフリカ人」が一様でないことに気づいた。以来、「唯一の起源」を決定すること自体に懐疑的である。言語についても「私はマリーズ・コンデ語で話す」と発言し、

母語か植民言語かの二択ではなく、あらゆる言語を自分の外にあるものとみなした上で、身体を通過させた自分自身の言葉を生み出そうとする。

『わたしはティチューバ』（一九八六）は十七世紀のセイラム魔女裁判を題材にとった作品である。ティチューバは魔女裁判騒動の発端とされていながら、年齢、性格、恩赦後の行方などについて明確な記録が残されていない。「記録すべきこと」の取捨選択において彼女は公然と差別されてきたわけだが、コンデはこれを逆手にとり、誇り高い精神を持つ強くしなやかな女性を創出する。また、魔女裁判を扱った他の作品とは異なり、コンデはリアリズムの枠組みにとらわれない。ティチューバは獄中で『緋文字』のヘスター・プリンと出会ってフェミニズム思想に目覚めたり、ユダヤ人との愛人関係を通してユダヤ教徒迫害の歴史を学ぶなど、その視野を広げていく。

近年は神経系の病で四肢が不自由になったが、口述筆記で幾つか作品を発表している。*Le fabuleux et triste destin d'Ivan et Ivana*（二〇一七）は、二〇一五年の『シャルリ・エブド』編集部襲撃事件を含む一連のテロ行為の一つとして起こった、イスラム原理主義者による殺人事件をもとにした作品である。

リュドミラ・ウリツカヤ

1943-

解説：斎藤寿葉

出身 ソ連、バシコルトスタン共和国、ダブレカノボ

ジャンル 小説

日本語で読める主な作品

『ソーネチカ』沼野恭子訳、新潮社
『陽気なお葬式』奈倉有里訳、新潮社
『クコツキイの症例』日下部陽介訳、群像社
『それぞれの少女時代』沼野恭子訳、群像社
『通訳ダニエル・シュタイン』前田和泉訳、新潮社

一九九二年に『ソーネチカ』を発表すると、母国よりも先にフランスやイタリアで賞を受けるなど高く評価された。この作品は、ソビエト政権下において、一人の平凡な女性が自分の身にふりかかる悲しみや苦難を受け入れていく様子を淡々と描く。主人公ソーネチ

カの人生に対する姿勢と同様に、作家もまた、一個の生き方を称賛することも批判することもせず静かに肯定しているように見える。

『陽気なお葬式』(一九九七)はニューヨークを舞台とし、ほどなく死んでいく亡命ロシア人画家アーリクのもとに集まった人々が彼との思い出を回想する。異なる視点から語られるアーリクは常に寛容な人物で、何者をも拒まない。そのため、彼のアトリエには本来ならば対立してしかるべき立場の人々までもが驚くほど平和に、無頓着に集う。相容れない違いがあるとしても、排除せず、同化することもせず、ただ共にあることが許容されている。

八〇年代末から九〇年代にかけてしばしばニューヨークに滞在したウリツカヤは、ロシアとアメリカの文化的差異の一つを、死に対する態度の中に見出す。常に誰かの死が身近なところにあり、それを自然に受け入れるロシア人に対し、アメリカの人々は死や苦痛をできるかぎり遠ざけようとしているように思えた。この違いを踏まえた上で、ウリツカヤはニューヨークを舞台に正面から一個の死を描く。その死は、悲劇や教訓ではなく、様々な違いを携えた人々が交差する地点となっている。

コルム・トビーン 1955-

解説：斎藤寿葉

出　身　アイルランド、ウェックスフォード県

ジャンル　小説、戯曲

日本語で読める主な作品

『ヒース燃ゆ』伊藤範子訳、松籟社
『ブラックウォーター灯台船』伊藤範子訳、松籟社
『ブルックリン』栩木伸明訳、白水社
『マリアが語り遺したこと』栩木伸明訳、新潮社
『ノーラ・ウェブスター』栩木伸明訳、新潮社

幼少期から熱心なカトリック信徒として育つ。ジャーナリストとして活動したのち、一九九〇年に *The South* でデビューした。

『マリアが語り遺したこと』(二〇一二) は初め、一人芝居の台本として執筆され、二〇一

三年にはブロードウェイでも上演された。小説版においても、マリアは年老いた「母親」として独り言を紡ぐ。福音書の編纂者たちは彼女の元を繰り返し訪れ、イエスについて彼らがそうあるべきだと信じる話を聞き出そうとする。しかしマリアは彼らの意図を知りつつ、あくまで「うちの息子」について語り続ける。息子を失ったことは、彼女にとって宗教的な事件である以前に、悲しみや憤りや悔恨を掻き立てる生々しい経験である。カナの婚礼やラザロの蘇生といった「重要な」エピソードは、母親としての戸惑いやおそれの視線によって新たな命を吹き込まれる。トビーンの描くマリアが私たちに伝えるのは、公的な記録となる福音書とは対照的に、語ったそばから失われていく個人的な記憶である。

『ノーラ・ウェブスター』(二〇一四)はトビーンが自身の母親をヒロインに投影した自伝的長編小説で、執筆に十年の歳月を費やした。四十六歳で夫を亡くしたノーラは、それまで夫任せにしていた現実的な生活、すなわち金を稼ぐことや人づきあいに直面し、少しずつ悲しみから回復していく。劇的な事件は起こらないが、家族や親戚、友人たちとの関わりの中で生じるノーラの感情の動きを丁寧に描いている。

ジョン・バンヴィル

1945-

解説：斎藤寿葉

出　身　アイルランド、ウェックスフォード県

ジャンル　小説

日本語で読める主な作品

『コペルニクス博士』斎藤兆史訳、白水社
『ケプラーの憂鬱』高橋和久・小熊令子訳、工作舎
『海に帰る日』村松潔訳、新潮社
『無限』村松潔訳、新潮社
『いにしえの光』村松潔訳、新潮社

十二歳のころから小説を書き始める。一九七〇年に初の短編集を発刊、翌七一年には最初の長編小説 *Nightspawn* を発表した。作家としてのキャリア初期には、科学史の転回点となった学者たちを題材とする一連の作品を書いた。そこでは、科学的真理を記述するこ

との困難さと、彼の小説が行おうとする伝記的記述の困難さとが重ね合わされている。『海に帰る日』(二〇〇五)は、妻を亡くした美術史家がかつて暮らしていた海辺の町で過去の記憶を手繰り寄せる物語である。海に溶けて消えるように死んだ少女クロエにまつわる記憶と、妻アンナと過ごした時間の記憶が入れ代わり立ち代わり浮かび、重なり合う。過去の複数の場面が彼の現在に入り込み、過去と現在、一つの過去と別の過去の境界を曖昧にするが、それは、「過去」「現在」とは何なのかという問いでもある。「過去」とはいつか生きられた「現在」であり、時の流れの中で「現在」は絶えず「過去」に変わっていくからだ。寄せる波のように次々と順不同で戻ってくる記憶は、彼に、過去の様々な場面における選択の正否を考えさせる。自分はあのときどう感じていたのか、何を望んでいたのか——。クロエとアンナは主人公にとって、彼という人間を形作った、彼を「彼」にした重要な他者である。妻を失ったあとの彼が海辺で記憶をたどるのは、大切な他者と再び出会うためであると同時に、自分自身と出会い直す作業だと言えるだろう。

マーガレット・アトウッド

1939-

解説：斎藤寿葉

出身 カナダ、オタワ

ジャンル 小説、詩、批評

日本語で読める主な作品

『サークル・ゲーム』出口菜摘訳、彩流社
『食べられる女』大浦暁生訳、新潮社
『侍女の物語』斎藤英治訳、ハヤカワepi文庫
『昏き目の暗殺者』鴻巣友季子訳、ハヤカワepi文庫
『誓願』鴻巣友季子訳、早川書房

一九六六年に詩集『サークル・ゲーム』がカナダ総督文学賞を受賞。六九年には長編小説第一作『食べられる女』を発表した。七〇年代にはフェミニズム文学の旗手として注目を集める。

『侍女の物語』(一九八五)は、二〇一七年のトランプ大統領就任を受けて再びベストセラーとなった。出生率の低下したアメリカでクーデターが発生し、キリスト教原理主義者たちによりギレアデ共和国が建国される。この国は、出産能力のある女性たちを強制的に子供を産ませる「侍女」として社会的地位のある男性のもとに派遣した。彼女たちは個人名ではなく、オブフレッド、オブグレンなど、「所有」を表す前置詞ofに主人である男性の名をつけた呼び名で識別される。トランプ大統領就任に対する女性たちの抗議デモでは、作品名やアトウッドの名を入れたプラカードが多数掲げられた。三十年前のアトウッドの警告が、ときを経て「差し迫った現実」として捉え直されたのだと言える。

『侍女の物語』は二〇一七年にドラマ化され、続編『誓願』も二〇一九年に出版された。侍女オブフレッドの個人的な語りとして閉じられていた前作に対し、『誓願』は立場の異なる複数の女性たちの視点から語られ、より開かれた印象を与える。女性同士の繋がりや連帯が見られることも前作との大きな違いである。絶望だけで終わるのではなく、暗闇の中で生き抜くユーモアや笑いが一筋の光として示されており、肩の力を抜いたアトウッドの器の大きさが感じられる。

ミシェル・ウエルベック

1958-

解説：斎藤寿葉

出身 フランス、レユニオン

ジャンル 小説、詩

日本語で読める主な作品

『素粒子』野崎歓訳、ちくま文庫
『ある島の可能性』中村佳子訳、河出文庫
『地図と領土』野崎歓訳、ちくま文庫
『服従』大塚桃訳、河出文庫
『セロトニン』関口涼子訳、河出書房新社

ウエルベックの作品においては、偏見に染まった登場人物と、それをあえてさらけ出す露悪的な文章が際立つ。登場人物の立ち位置を強烈に印象づける人種的・宗教的偏見は、作家ウエルベック自身や彼の作品が国籍を消し去り、普遍へと向かうことの拒否であるように見える。

『素粒子』（一九九八）は、性的コンプレックスを抱えた国語教師とノーベル賞クラスの天才科学者という異父兄弟の物語で、量子論や遺伝子工学の知見を交えた壮大なSF的世界観が展開する。『プラットホーム』（二〇〇一）の主人公は他者との繋がりを感じられず、強い虚無感を抱えている。父親の死によって始まる物語は、つかのま彼に幸せをくれたヴァレリーの死とともに終わりを迎える。しかし、彼は深い絶望を味わいながらも積極的に死を選ぶことをしない。絶望の後に、それでも生が淡々と続いていくという現実がそこにはある。この作品は同じ年に起こるアメリカ同時多発テロを予見したかのような描写があるということで注目を集めた。

ウエルベックはしばしば予言的な作家だと言われるが、それは彼が「現在」をよく見据え、その本質を感知しているためではないか。『セロトニン』（二〇一九）における、フランス農業の惨状への言及が示すように、彼はジャーナリスティックな視線で「現在」を分析する。「未来」は常に「現在」の先にしかない。ウエルベックが「予言」しているのは、私たちが生きている「現在」の先に起こりうる現実の姿である。

クラスナホルカイ・ラースロー

1954-

解説：斎藤寿葉

出　身　ハンガリー、ベーケーシュ県

ジャンル　小説

日本語で読める主な作品

『北は山、南は湖、西は道、東は川』早稲田みか訳、松籟社

映画化作品としては、タル・ベーラ監督の『サタンタンゴ』、『ヴェルクマイスター・ハーモニー』（原作は『抵抗の憂鬱』）が日本でも公開されている。

一九九七年に初めて訪れた京都に魅了され、二〇〇〇年に再来日すると、半年間にわたり滞在した。『北は山、南は湖、西は道、東は川』（二〇〇三）からは、彼が滞在中に日本の伝統建築への見識を深めたことが見て取れる。この作品は現在、日本語で読める唯一の著

作である。

一文一文が長く、うねるような文体で事物を綿密に記述し、同じ言葉や内容を反復するのが特徴的だ。またこの作品は、人間を中心から外す試みでもある。作品が描くのは京都だが、京都を舞台として何かが起こるというよりもむしろ、京都がそこに在り続けるということじたいを表現した小説だと言える。人間の背景に「場所」があるのではなく、人間が訪れ、また去っても変わらずそこに在り続ける「場所」の視点から人間の営みを眺める。ほぼ唯一の登場人物である「源氏の孫君」の特徴も徹底して曖昧化されている。彼（性別すらもそれほど明確ではないが）の名前はただ過去とのみ結びついており、「現在」における存在は希薄でしかない。

本を開くとすぐに、読者は物語の「第2章」と出会う。唐突に、いつ、どうやって始まったのかわからない世界の只中に置かれるのである。終わり方も同様で、今まさに何かが起ころうとしているという気配のみを漂わせ、事件とその顛末は描かないままにする。物語の円環はあえて閉じられない。人間を中心から外すことで飛躍的に拡大した時空の中で、読者は人間として、自らの存在の希薄さ、小ささを感じ取る。

セサル・アイラ

1949-

解説：萩埜亮

出身 アルゼンチン、ブエノスアイレス州、コロネル・プリングレス

ジャンル 小説

日本語で読める主な作品
『わたしの物語』柳原孝敦訳、松籟社
『文学会議』柳原孝敦訳、新潮社

二十年以上にわたり年に数冊の作品を発表し続け、しかもその多くが毎日決まった時間に決まった場所で即興的に書いたものをそのまま出版しただけという、現代世界文学において強烈な個性を発揮するアルゼンチンの奇才・アイラ。作家が自認しているように、そ

の実験精神にはダダやシュルレアリスムといった前衛主義からの強い影響が認められる。

　初期には十九世紀アルゼンチン文学の翻案めいた歴史ロマンスを書いていたが、一九九〇年に発表した『亡霊たち』を皮切りに、ベケットやレーモン・ルーセルの現代アルゼンチン版とでも形容すべき、荒唐無稽で不条理な散文作品を次々と発表し始める。作者と同名の人物を登場させながら現実とは似ても似つかない設定になっていたりと、物語は着実に虚構と現実の垣根を溶解させてゆく。だが、予想のつかない展開に心躍らせたとしても、作品は百ページにも満たない時点で唐突な終わりを迎え、読者を満足させる謎解きや大団円などは描かれない。

　というのも、アイラにとって芸術とは、推敲を繰り返し生み出された完成度の高い作品などではなく、様々なアイデアが誕生し、衝突し、展開してゆく過程そのものを意味するからだ。アイラを敬愛する音楽家パティ・スミスは、彼の作品を「互いに連結し増殖し続ける宇宙の破片」に喩えている。超新星のように爆発しては消えてゆく創造と破壊の連続にこそ、アイラ文学の愉悦はある。

アン・カーソン

1950-

解説：萩埜亮

出身　カナダ、オンタリオ州、トロント

ジャンル　詩、評論

日本語で読める主な作品

「アン・カーソン詩選」『現代詩手帖』2018年8月号、小磯洋光訳、思潮社

残念ながらほとんどの作品が未訳であるが、アン・カーソンは間違いなく世界でもっとも高い評価を受けている現代詩人の一人だ。

アイルランド系カトリックの家に銀行員の子として生まれたカーソンは、十代で古典の

魅力に取り憑かれラテン語とギリシャ語を習得。サッフォーについての論文で博士号を取得し、現在も大学で教鞭を執っている。一九八七年に長編詩“Kinds of Water”を発表したことで国際的に認知され、その後は*Glass, Irony and God*（一九九五）や*Plainwater: Essays and Poetry*（一九九五）などで文名を堅固なものとした。

そのスタイルを知るには*Autobiography of Red: A Novel in Verse*（一九九八）を手に取るのがいいだろう。古代ギリシャの詩人ステシコロスが詠んだヘラクレス第十の試練の物語詩に範をとりつつ、舞台を現代へと移し替え、怪物とヘラクレスとの関係を同性愛的なものとして描いた作品だ。副題「韻文の小説」が示すように、作品は学術的なエッセイや散文詩と、韻文による長短の詩が組み合わさって、全体としてのテーマを多角的に浮かび上がらせる。複雑な文学的コラージュとしてのカーソンの詩は確かに難解だが、彼女自身が述べているように、その根幹にあるのは「愛しい人が自分から去っていく」あの切ない瞬間への省察であり、それ故に多くの人々の心を打つ普遍的な魅力を放っている。

イスマイル・カダレ

1936-

解説：萩埜亮

出身 アルバニア、ジロカストラ

ジャンル 小説、詩、評論

日本語で読める主な作品

『死者の軍隊の将軍』井浦伊知郎訳、松籟社
『砕かれた四月』平岡敦訳、白水社
『夢宮殿』村上光彦訳、創元ライブラリ
『誰がドルンチナを連れ戻したか』平岡敦訳、白水社
『草原の神々の黄昏』桑原透訳、筑摩書房

一九一二年にオスマン帝国から独立したアルバニアは、第二次大戦後にスターリン主義者のエンヴェル・ホッジャが政権を握ると、八五年のその死まで長い独裁制が敷かれることとなった。奇しくもホッジャと同郷の作家カダレは、一時期フランスに亡命したものの、

一貫してアルバニアの作家として同国の歴史と社会を描き続けてきた。その扱う範囲は中世の時代から共産主義体制の崩壊後までと、まさにアルバニア史を一望するほどに幅広い。八〇年代に著作の多くが翻訳されるとたちまち国際的名声を獲得するが、その理由の一端は、カダレが(西側諸国にとってしばしば都合の良い)鉄のカーテンの「内側」からの貴重な声として受けとられた点にあるだろう。

国民的作家としてのカダレは、政府の検閲を逃れつつ権威に迎合することのない芸術の次元を探求するという、非常に困難な立場を貫かねばならなかった。アルバニア文化の豊かさ、民族としての道徳心・勇猛果敢さといったナショナリズムに訴求する描写がある一方で、複雑な歴史と政治の流れの中で翻弄されてきたアルバニア社会への批判的眼差しが同居しているところに、カダレ文学の豊穣さがある。『死者の軍隊の将軍』(一九六三)、『砕かれた四月』(一九八〇)、『夢宮殿』(一九八一)といった代表作以外にも多数の著作があるが、いずれも舞台を過去に設定したり、アルバニアの民話や伝承を作品の要素として取り入れることで、単なる社会主義リアリズムとは一線を画する優れた小説となっている。

ミラン・クンデラ

1929-

解説：萩埜亮

出身 チェコスロヴァキア、ブルノ

ジャンル 小説、評論、詩、戯曲

日本語で読める主な作品

『冗談』西永良成訳、岩波文庫
『存在の耐えられない軽さ』千野栄一訳、集英社文庫
『不滅』菅野昭正訳、集英社文庫
『笑いと忘却の書』西永良成訳、集英社文庫
『小説の技法』西永良成訳、岩波文庫

エッセイなどで本格的な文学論を展開しているクンデラ。セルバンテスやラブレーを小説の祖とみなし、小説が近代という「神の唯一の真理が幾多の人間的＝相対的な真実へと崩れ落ちた」時代を反映した芸術であると考える彼の文学観は、ヨーロッパ中心主義的す

ぎるだろうか。だが、狭義の意味での小説が西欧の文学的伝統の中で、ナショナリズムと市民社会の成熟とともに近代において産み落とされたメディアであることは疑い得ない。そうした意味での小説の「死」が叫ばれて既に半世紀が経過しているわけだが、クンデラは果敢にもヨーロッパ的なものとしての「小説」を背負って立つ最後の「小説家」の一人なのかもしれない。

と、重々しい書き出しで始めてみたものの、チェコ時代の傑作『冗談』（一九六七）や国際的名声を勝ち得た『存在の耐えられない軽さ』（一九八四）を一読すればわかるように、クンデラ作品において深遠なテーマが真正面から論じられることは稀だ。むしろそれは、性愛やユーモア、諧謔やアイロニーに満ちた卑近な物語を通じて、軽口のような会話や思考の断片から徐々に浮かび上がる。音楽の素養のある作者が、対位法的な手法を駆使して雑多な要素を関連付けてゆく様は見事という他ない。イデオロギーを盲信し、個人の生活と精神を押し潰すファシズムや共産主義の恐怖を身を以て体験したクンデラにとって、不真面目な小説は極めて真面目な抵抗と生存のための手段であり、その有用性は失われていないのだ。

ドン・デリーロ

1936-

解説：萩埜亮

出　身　アメリカ合衆国、ニューヨーク州、ニューヨーク

ジャンル　小説、戯曲

日本語で読める主な作品

『ホワイト・ノイズ』森川展男訳、集英社
『リブラ　時の秤』真野明裕訳、文藝春秋
『アンダーワールド』上岡伸雄・高吉一郎訳、新潮社
『墜ちてゆく男』上岡伸雄訳、新潮社
『天使エスメラルダ：9つの物語』柴田元幸他訳、新潮社

空前の繁栄を誇った第二次大戦後のアメリカ社会。消費主義と横溢するメディア・ネットワークの海に埋没することで死を遠ざけ、リアルな生の感覚までをも喪失した現代人の姿を、同時代の文学は皮肉とペーソスを込めて描き出した。一時は広告業界に身をおいた

デリーロが、こうしたポストモダン文学を代表する書き手となったのは偶然ではないだろう。

一九七一年に長編デビューを飾って以来、切れ味鋭く詩情に富んだ文体、卓越したウィットと知性によって批評家に注目されていたデリーロだが、世間にその名を知らしめたのは一九八五年の『ホワイト・ノイズ』だ。謎の化学汚染物質の雲によって危機に晒される家族を描く本作や、ケネディ暗殺の陰謀を虚実ないまぜに描いた次作『リブラ』(一九八八)では、あらゆる価値判断の指標を失った現代社会における実存的不安が、テロリズムや陰謀論といった不可視の恐怖に取り憑かれた人々の姿を通じて描き出される。

ポストモダン作家としてのデリーロのキャリアは、冷戦期のアメリカ史を一望する超大作『アンダーワールド』(一九九七)においてひとまず頂点に到達したと言えるだろう。二〇〇〇年代に入ると、ポスト9・11を描いた傑作『堕ちてゆく男』をはじめ、象徴的なモチーフや寓意性に満ちたモダニズム的な中編作品の執筆へと関心を移している。既に文学史にその名を残す大作家でありながら、デリーロは今なお変化を止めない。

ジェラルド・マーネイン 1939-

解説：萩埜亮

出身 オーストラリア、ビクトリア州、メルボルン

ジャンル 小説

日本語で読める主な作品 なし

マーネインを知る読者は日本にはほとんどいないだろう。世界的にも知名度の高い作家とは言えないが、J・M・クッツェーをはじめ一部の文学者や批評家から極めて高い評価を与えられているカルト的な存在である。タイプライターを右手人差し指一本で叩く独特

の執筆法から生み出される文章は一文が非常に長く、しかも偏執的なまでに文法的に正確だ。彫刻のように精巧でありながら水のように流麗な文体に魅了される読者は数多い。

メルボルン郊外のカトリック家庭で育ったマーネインは、神学校を中退し小学校教師になるも、やがて仕事を辞めて執筆に専念する。七〇年代に優れた自伝的小説を二冊上梓した後、若い脚本家がオーストラリア内陸部の神秘に取り憑かれ、完成しない映画を撮るため二十年余りを費やすといった筋書きの *The Plains*（一九八二）で、プルーストやカルヴィーノと比較される内省的でメタフィクショナルなスタイルを確立し文学者として頭角を表した。本作以降のマーネイン作品において、語り手はきまって創作を生業としており、地図や写真といった事物や記憶の中の些細なイメージに触発された語り手が綴る心象風景の世界が、物語の中心に置かれている。

九〇年代からしばらく沈黙が続いていたが、近年再び長編を発表し始め、その甲斐あってか二〇一八年には『ニューヨーク・タイムズ』が「ノーベル文学賞候補」の見出しとともに長文の特集記事を掲載している。

コーマック・マッカーシー

1933-

解説：萩埜亮

出　身　アメリカ合衆国、ロードアイランド州、プロビデンス

ジャンル　小説、戯曲

日本語で読める主な作品
『ブラッド・メリディアン』黒原敏行訳、ハヤカワepi文庫
『すべての美しい馬』黒原敏行訳、ハヤカワepi文庫
『血と暴力の国』黒原敏行訳、扶桑社ミステリー
『ザ・ロード』黒原敏行訳、ハヤカワepi文庫
『チャイルド・オブ・ゴッド』黒原敏行訳、早川書房

乾いたユーモア、グロテスクで妄執的な人物たち、辺境の過酷な自然描写などから、南部文学の衣鉢を継ぐカルト作家として頭角を表したマッカーシー。全米図書賞を受賞した『すべての美しい馬』（一九九二）に始まる「国境三部作」や、映画版もヒットした『血と暴

力の国』（二〇〇五）、荒廃した近未来での「父」と「子」のサバイバルを描く『ザ・ロード』（二〇〇六）といった話題作を次々と発表したことで大衆からの支持を集め、押しも押されもせぬ現代アメリカ文学の重鎮となった。

その作品世界を貫くのは、市民社会的な秩序への信頼に底なしの穴を穿つような、昏い悪への認識だ。最高傑作の呼び声高い『ブラッド・メリディアン』（一九八五）におけるニーチェ的な超人ホールデン判事や『血と暴力の国』の殺し屋シガーに代表されるように、マッカーシー作品では犯罪者や殺人狂、死体愛好家といったアウトサイダーが登場しては、突発的な死や暴力をふりまいてゆく。

あまりにも苛烈な暴力描写や救いようのない展開はしかし、社会道徳への単なる脅威としての悪を示しているわけではない。むしろ、そのような道徳の基盤それ自体を破壊する、人間の存在意義など意に介さない無慈悲な偶然性としての悪こそが、マッカーシーの描こうとしている世界の現実なのだ。それゆえに、社会の周縁や最底辺に位置する人々についての物語でありながらも、マッカーシー作品にはギリシャ悲劇にも通ずる宗教的・神話的なスケールの大きさを感じ取ることができる。

マリリン・ロビンソン

1943-

解説：萩埜亮

出身 アメリカ合衆国、アイダホ州、サンドポイント

ジャンル 小説、評論

日本語で読める主な作品

『ハウスキーピング』篠森ゆりこ訳、河出書房新社
『ギレアド』宇野元訳、新教出版社
『ピーター・ラビットの自然はもう戻らない』鮎川ゆりか訳、新宿書房

英文科の博士課程に在籍中、論文執筆の気晴らしに書き始めたのがロビンソンの長編処女作『ハウスキーピング』（一九八〇）だ。アイダホ州の小村を舞台に二人の少女の生活、とりわけエキセントリックな叔母との交流を描いた同作は極めて高い評価を獲得し、ロビ

ンソンはたった一作で文学史に名を刻むこととなった。

その後は大学で創作を指導しながら、イギリスの核処理施設を扱ったドキュメンタリーや神学についてのエッセイなどを執筆していたが、二十年以上もの沈黙を破って登場した次作長編『ギレアド』(二〇〇四)もまた期待に違わぬ傑作だった。アイオワ州の架空の街を舞台とした本作の後、同地の他の住人に焦点を当ててさらに二冊の小説を上梓している。

多くの批評家がロビンソンの卓越した文章力を称賛してきたが、その力強い語句は幼少期から学んだラテン語や欽定訳聖書、アメリカ超絶主義の思想やディキンソンの詩によって形作られている。息の長いリズミカルな文はまるで詩のように彫琢されており、彼女の手にかかれば、何気ない日常の仕草や生活は神秘的な啓示の瞬間へと変貌する。敬虔なプロテスタントであるロビンソンは、カルヴァン主義やピューリタニズムの倫理を現代的な立場から再評価するなど思想家としても一目置かれている存在だが、人生や神といった深甚なテーマを細密画的なアメリカの片田舎の生活において浮かび上がらせる点に、ロビンソン作品の魅力があると言えるだろう。

残雪

1953-

解説：萩埜亮

出　身　中国、湖南省、長沙市

ジャンル　小説、評論

日本語で読める主な作品

『最後の恋人』近藤直子訳、平凡社
『黄泥街』近藤直子訳、白水Uブックス
『突囲表演』近藤直子訳、河出文庫
『蒼老たる浮雲』近藤直子訳、白水社
『カッコウが鳴くあの一瞬』近藤直子訳、白水Uブックス

シュールで夢幻的な作風からしばしば「中国のカフカ」と称される残雪（本名・鄧小華）。突拍子もないイメージの現出や予期せぬ物語展開に、全体主義と行き過ぎた官僚制によって歪められた戦後中国の社会的現実を汲み取ることは難しくないだろう。

それもそのはず、大手新聞社で編集長を務めていたインテリの父が「右派的」との理由で失脚すると、鄧家は二十年以上にわたり当局の弾圧に苦しめられる。残雪も小学校卒業と同時に就業し自活することを余儀なくされたが、父と共に読んだ哲学書や、独学の英語で親しんだ西欧の古典文学から多くを学ぶ。生業の傍ら創作にも手を染め、八〇年代から現在まで旺盛に作品を発表し続けている。

最初の代表作『黄泥街』(一九八七)が中国本土ではなく台湾で出版された事実が示唆するように、残雪の名は翻訳や米国での講演を通じて中国国外においてまず評価された。その前衛的な作風は、リアリズムを主流と考える当時の中国文壇には受け入れ難いものだったからだ。彼女自身、中国にはいまだ本当のフェミニスト文学は存在せず、また西欧文学の成果を取り入れることでしか中国文学の未来はない、という姿勢を表明することで、男性中心主義的でナショナリズム偏重の文壇を度々糾弾してきた。結果的には、夢や妄想を通じて主観が客観的な現実を侵食する様を描く心理主義的表現によって、残雪はノーベル賞作家・莫言の切り拓いた中国文学の地平をさらに前進させたと言えよう。

ジョージ・R・R・マーティン

1948-

解説：萩埜亮

出身 アメリカ合衆国、ニュージャージー州、ベイヨン

ジャンル 小説

日本語で読める主な作品

『氷と炎の歌』シリーズ、岡部宏之訳（1～3）、酒井昭伸訳（4～5）、ハヤカワ文庫SF
『タフの方舟』酒井昭伸訳、ハヤカワ文庫SF
『ナイトフライヤー』酒井昭伸訳、ハヤカワ文庫SF
『洋梨形の男』中村融訳、河出書房新社
『フィーヴァードリーム』増田まもる訳、創元推理文庫

大ヒットドラマシリーズ『ゲーム・オブ・スローンズ』の原作者マーティンの名は既に日本でもよく知られているだろう。薔薇戦争といった史実のリアリティを参照しつつ、巨大な氷壁に閉ざされた架空の世界を舞台とする諸勢力の権謀術数の争いを描いたマーティ

ンの小説は、そのアイロニカルで荒涼とした世界観や性・暴力描写を厭わぬ迫力ある筆致によって今世紀のファンタジージャンルに多大な影響を与えた。

アメリカ郊外出身のコミック蒐集家であったマーティンは幼少期からＳＦやファンタジー小説を書き始める。大学でジャーナリズムを専攻していた一九七〇年に商業誌デビューを飾り、七四年に「この歌を、ライアに」でヒューゴー賞を受賞するなどその実力は確かなものであったが、専業には至らず教師などの仕事の傍ら執筆を続ける。八〇年代にハリウッドで脚本家デビューし『美女と野獣』などで知られるようになるが、「予算に縛られず自由にアイデアを展開できるから」という理由で小説メディアへの興味を取り戻す。旅先の北イングランドで眺めたハドリアヌスの壁から着想を得て、縦横無尽に想像力を駆使して書き上げた渾身の作が『氷と炎の歌』シリーズだった。

最近では、陰鬱で重厚な世界観のＲＰＧ『Dark Souls』で知られるゲームクリエイターの宮崎英高が次作の原案を依頼したことでも話題となるなど、マーティンの想像力はジャンルや国境を超えた影響を与え続けている。

ウラジーミル・ソローキン

1955-

解説：松下隆志

出身 ソ連、ロシア共和国、モスクワ

ジャンル 小説、戯曲、映画脚本

日本語で読める主な作品

『青い脂』望月哲男・松下隆志訳、河出文庫
『マリーナの三十番目の恋』松下隆志訳、河出書房新社
『テルリア』松下隆志訳、河出書房新社
『氷三部作』松下隆志訳、河出書房新社
『親衛隊士の日』松下隆志訳、河出書房新社

現代ロシアの「文豪」は誰かと問われれば、今や真っ先に名前が挙がるのがソローキンだ。後期ソ連モスクワのアングラ芸術に出自を持ち、十九世紀のリアリズムや二十世紀の社会主義リアリズムのスタイルをアブノーマルな性や暴力の描写と結びつける手法で知ら

れる。内容のあまりの過激さからソ連崩壊後まで国内では作品がほぼ出版されず、「現代文学のモンスター」の異名をとった。

スキャンダルを巻き起こした長編『青い脂』(一九九九)では、謎めいた造語や中国語のスラングが氾濫する未来のシベリアを舞台に、ドストエフスキーやトルストイら七体のロシア文豪の奇怪なクローンが登場し、それぞれが二次創作的な作品を執筆する。後半は物語がパラレルワールドの過去へと移り、麻薬中毒者のスターリンがフルシチョフと熱い愛を交わし、「青脂《せいし》」と呼ばれる神秘の物質を巡って超能力者のヒトラーと死闘を繰り広げる。著者の型破りな想像力が縦横無尽に発揮された怪作だが、保守的な批評家は「冒涜的」と眉を顰め、ある愛国的な青年団体からは「ポルノ」だと訴えられた。

しかし近年、ソローキンを巡る評価は大きく変わりつつある。『親衛隊士の日』(二〇〇六)、『テルリア』(二〇一三)など、近未来のロシアやヨーロッパを独自の視点で描いた作品が「予言の書」として真剣に受け止められているのだ。ようやく時代が作家の想像力に追いついた感があるが、二〇〇〇年代以降は英訳も本格的に進み、国際的な評価も年々高まっている。

アドニス

1930-

解説：斎藤寿葉

出身 シリア、ラタキア県、アル・カッサビン

ジャンル 詩、エッセイ

日本語で読める主な作品

『アジア・アフリカ詩集』高良留美子訳、土曜美術社

『暴力とイスラーム　政治・女性・詩人』伊藤直子・井形美代子他訳、エディション・オフ

アラブ伝統詩の形式に縛られない革新的作風が評価されている。『暴力とイスラーム』（二〇一五）は精神分析学者フーリア・アブドゥルアヒドとの対談で、コーラン、女性の地位、詩や芸術の力に関する彼の考えを知ることができる。

セース・ノーテボーム

1933-

解説：斎藤寿葉

出身 オランダ、デン・ハーグ

ジャンル 小説、詩、旅行記

日本語で読める主な作品

『儀式』松永美穂訳、論創社

『木犀！／日本紀行』松永美穂訳、論創社

『これから話す物語』鴻巣友季子訳、新潮社

『サンティアゴへの回り道』吉用宣二訳、水声社

旅好きで、旅行記も数多く出版。『木犀！／日本紀行』（一九八二）は日本を題材とした小説と旅エッセイを収録。アムステルダムを舞台とした父子の物語『儀式』（一九八〇）にも、楽焼の茶碗や竜安寺の石庭など日本美術や文化への言及がある。

ダーグ・ソールスター

1941- 解説：斎藤寿葉

出身 ノルウェー、ヴェストフォル県、サンデフィヨルド

ジャンル 小説、戯曲

日本語で読める主な作品

『ノヴェル・イレブン、ブック・エイティーン』村上春樹訳、中央公論新社

著書は世界二十か国語に翻訳されているものの、現在、日本語で読むことができるのは村上春樹が英語版から訳した一冊のみ。過去を回想する主人公の人生観と湿っぽい感傷に浸らない、突き放すようにドライな文体が際立つ。

ダーチャ・マライーニ

1936- 解説：斎藤寿葉

出身 イタリア、フィレンツェ

ジャンル 小説、戯曲、詩

日本語で読める主な作品

『メアリー・ステュアート』望月紀子訳、劇書房
『帰郷　シチーリアへ』望月紀子訳、晶文社
『声』大久保昭男訳、中央公論社
『おなかの中の密航者』草皆伸子訳、立風書房
『思い出はそれだけで愛おしい』中山悦子訳、中央公論新社

小説の執筆に加え、演劇を通じた女性解放運動に携わる。『メアリー・ステュアート』（一九七五）は誇り高く孤独な女性たちを通して女としての苦悩や矛盾を描く。『帰郷　シチーリアへ』（一九九三）は遠ざけていた故郷と出会い直す自伝小説。

ナーダシュ・ペーテル

1942-

解説：斎藤寿葉

出身 ハンガリー、ブダペスト

ジャンル 小説

日本語で読める主な作品

『ある一族の物語の終わり』早稲田みか・簗瀬さやか訳、松籟社

ユダヤ系共産主義者の家庭に生まれたが、キリスト教の洗礼を受けた。邦訳があるのは『ある一族の物語の終わり』（一九七七）のみ。出自と関わる主題を扱い、少年の牧歌的世界とその崩壊を通して政治の力の強烈さを露わにする。

パスカル・キニャール

1948-

解説：斎藤寿葉

出身 フランス、ウール県、ヴェルヌイユ

ジャンル 小説、エッセイ

日本語で読める主な作品

『音楽への憎しみ』高橋啓訳、青土社
『ローマのテラス』高橋啓訳、青土社
『さまよえる影たち――最後の王国〈1〉』小川美登里・桑田光平訳、水声社
『いにしえの光――最後の王国〈2〉』小川美登里訳、水声社
『アマリアの別荘』高橋啓訳、青土社

音楽や美術への造詣が深い。『音楽への憎しみ』（一九九六）は、ナチス強制収容所などの例から音楽と死や暴力の結びつきを暴く。『さまよえる影たち』（二〇〇二）に始まる〈最後の王国〉シリーズは、伝承や歴史的記述など多くの断章で構成。

フアン・ガブリエル・バスケス

1973-

解説：斎藤寿葉

出身 コロンビア、ボゴタ

ジャンル 小説

日本語で読める主な作品

『密告者』服部綾乃・石川隆介訳、作品社
『コスタグアナ秘史』久野量一訳、水声社
『物が落ちる音』柳原孝敦訳、松籟社

『物が落ちる音』（二〇一二）の過去を回想し後悔する主人公は、人間に不可避の宿命を示唆する。変えられない過去の蓄積の中で何ができるのか、という問いをバスケスは発している。二〇〇九年には文学論をまとめた *El arte de la distorsión* を出版。

ミルチャ・カルタレスク

1956-

解説：斎藤寿葉

出身 ルーマニア、ブカレスト

ジャンル 小説、詩

日本語で読める主な作品

『ぼくらが女性を愛する理由』住谷春也訳、松籟社

一九八九年のルーマニア革命後、注目を集める。『ぼくらが女性を愛する理由』（二〇〇四）は愛、性、女性に関する短編や断章を収録。愛する「ぼくら」とはどのような存在か考えさせる。明るい話ばかりではないが、筆致は軽やか。

ヨン・フォッセ

1959-

解説：斎藤寿葉

出身 ノルウェー、ローガラン県、ハウゲスン

ジャンル 戯曲、児童文学

日本語で読める主な作品

『北欧の舞台芸術』(三元社)にインタビューが掲載

イプセン以外でもっとも上演回数の多いノルウェー人劇作家。登場人物の多くは名前や際立った性格を持たない。「間」を多く盛り込む一方で句読点を使用しないシナリオは、言葉のリズムを役者と演出家に委ねるものである。

ジョイス・キャロル・オーツ

1938-

解説：萩埜亮

出身 アメリカ合衆国、ニューヨーク州、ロックポート

ジャンル 小説、詩、戯曲、評論

日本語で読める主な作品

『生ける屍』井伊順彦訳、扶桑社ミステリー
『ブラックウォーター』中野恵津子訳、講談社
『とうもろこしの乙女、あるいは七つの悪夢』栩木玲子訳、河出文庫
『二つ、三ついいわすれたこと』神戸万知訳、岩波書店
『邪眼』栩木玲子訳、河出書房新社

六〇年代に活動を開始して以来、詩、小説、戯曲などジャンルを問わず毎年数冊を上梓し続ける多作家。現代アメリカの郊外や中産階級の経験を、暴力や迫害といったゴシック的なモチーフを用いて描くのを得意とする。

楊煉

1955-

解説：萩埜亮

出身 スイス、ベルン

ジャンル 詩

日本語で読める主な作品

『幸福なる魂の手記—楊煉詩集』浅見洋二訳、思潮社

スイスに生まれ北京で育つ。七〇年代に文芸雑誌『今天』に参加、朦朧詩派と呼ばれる象徴主義的な運動を牽引して政府による芸術への介入に抗う。天安門事件を機に国外に居を移し、亡命作家として活動を続けている。

余華

1960-

解説：萩埜亮

出身 中国、浙江省、杭州市

ジャンル 小説、評論

日本語で読める主な作品

『活きる』飯塚容訳、中公文庫
『兄弟』泉京鹿訳、文春文庫
『血を売る男』飯塚容訳、河出書房新社
『死者たちの七日間』飯塚容訳、河出書房新社
『雨に呼ぶ声』飯塚容訳、アストラハウス

中国文学の新世代を牽引する書き手として、八〇年代に前衛的な短編作家として頭角を現す。長編ではリアリズム的な作風を取り入れつつ、幼少期を過ごした文化大革命時代を題材にとり、国内外で高い評価を得ている。

ハン・ガン

1970-

解説：萩埜亮

出身 韓国、光州広域市

ジャンル 小説・詩

日本語で読める主な作品

『菜食主義者』きむふな訳、クオン
『すべての、白いものたちの』斎藤真理子訳、河出書房新社
『ギリシャ語の時間』斎藤真理子訳、晶文社
『回復する人間』斎藤真理子訳、白水社
『少年が来る』井出俊作訳、クオン

詩人としてデビュー後、苛烈なイメージや重厚なテーマを端正で精密な言葉によって淡々と描写してゆく中短編を数多く発表し評価される。二〇一六年に『菜食主義者』でアジア人として初めて国際ブッカー賞を受賞した。

閻連科

1958-

解説：萩埜亮

出身 中国、河南省、嵩県

ジャンル 小説

日本語で読める主な作品

『愉楽』谷川毅訳、河出書房新社
『硬きこと水のごとし』川毅訳、河出書房新社
『炸裂志』泉京鹿訳、河出書房新社
『年月日』谷川毅訳、白水社
『人民に奉仕する』谷川毅訳、文藝春秋

貧しい農村に生まれ二十歳で人民解放軍に入隊。八〇年代末から数多くの長編・短編を発表し続けているが、大胆なエロスと風刺を駆使した体制批判的な作風ゆえにその多くが中国国内では発禁処分の対象となっている。

ヌルディン・ファラー

1945-

解説：萩埜亮

出　身　ソマリア、バイドア

ジャンル　小説・戯曲

日本語で読める主な作品

なし

植民地化と独裁制、内戦によって引き裂かれた故国を舞台として国家・家族・個人の関係性とアイデンティティの在処を探る作品を数多く発表している。ノイシュタット国際文学賞を受賞するなど世界から注目される作家。

サルマン・ラシュディ

1947-

解説：萩埜亮

出　身　インド、ムンバイ

ジャンル　小説

日本語で読める主な作品

『真夜中の子供たち』寺門泰彦訳、岩波文庫
『恥』栗原行雄訳、早川書房
『悪魔の詩』五十嵐一訳、新泉社
『ハルーンとお話の海』青山南訳、国書刊行会
『東と西』寺門泰彦訳、平凡社

ブッカー賞ノミネートの常連。『真夜中の子供たち』(一九八〇)は同賞の歴代受賞最高作に選ばれるなど「ノーベル賞にもっとも近い作家」の一人。西欧の教養とインド文学の伝統とを架橋しつつ多文化が入り混じる植民地以後の世界を描く。

ハビエル・マリアス

1951-　解説：萩埜亮

出　身　スペイン、マドリード

ジャンル　小説

日本語で読める主な作品

『白い心臓』有本紀明訳、講談社
『女が眠る時』砂田麻美他訳、パルコ
『執着』白川貴子訳、東京創元社

英米文学の翻訳家としての顔も持ち、その晦渋な文体はヘンリー・ジェイムズに喩えられることもある。作品の多くは自伝的だが、虚実を織り交ぜ自由に脱線してゆく「小説らしい」無節操さと知的放蕩を持ち味とする。

ジャメイカ・キンケイド

1949-　解説：萩埜亮

出　身　アンティグア・バーブーダ、セントジョンズ

ジャンル　小説

日本語で読める主な作品

『川底に』菅啓次郎訳、平凡社
『アニー・ジョン』風呂本惇子訳、學藝書林
『ルーシー』風呂本惇子訳、學藝書林
『小さな場所』旦敬介訳、平凡社
『弟よ、愛しき人よメモワール』橋本安央訳、松柏社

英領西インド諸島の小島で育ち十七歳で米国に移民、雑誌『ニューヨーカー』などに作品を発表。西欧文化によって不可逆的に変容した被植民者の経験を、少女の自己探求や母子関係といった自伝的物語に重ね合わせる。

エドナ・オブライエン

1930-

解説：萩埜亮

出身 アイルランド、クレア県、トゥームグレイニー

ジャンル 小説・戯曲

日本語で読める主な作品

『カントリー・ガール』大久保康雄訳、集英社文庫
『みどりの瞳』生島治郎訳、集英社文庫
『愛の歓び』大久保康雄訳、集英社文庫
『八月はいじわるな月』志貴宏訳、ハヤカワ文庫
『傷ついた平和』中田耕治訳、集英社文庫

女性の経験を赤裸々に描いた処女作『カントリー・ガール』（一九六〇）はその苛烈な社会批判ゆえに発禁処分に。フェミニズム文学の先駆者として旺盛な執筆を続け、八十九歳で新作長編を発表するなど依然として最前線で活躍している。

歴代受賞者一覧

1901年	シュリ・プリュドム	フランス
1902年	テオドール・モムゼン	ドイツ
1903年	ビョルンスティエルネ・ビョルンソン	ノルウェー
1904年	フレデリック・ミストラル	フランス
	ホセ・エチェガライ・イ・エイサギーレ	スペイン
1905年	ヘンリク・シェンキェヴィチ	ポーランド
1906年	ジョズエ・カルドゥッチ	イタリア
1907年	ラドヤード・キップリング	イギリス
1908年	ルドルフ・クリストフ・オイケン	ドイツ
1909年	セルマ・ラーゲルレーヴ	スウェーデン
1910年	パウル・フォン・ハイゼ	ドイツ
1911年	モーリス・メーテルリンク	ベルギー
1912年	ゲアハルト・ハウプトマン	ドイツ

1901 -1924

1913年	ラビンドラナート・タゴール	インド
1914年	受賞者なし	
1915年	ロマン・ロラン	フランス
1916年	ヴェルネル・フォン・ハイデンスタム	スウェーデン
1917年	カール・ギェレルプ	デンマーク
	ヘンリク・ポントピダン	デンマーク
1918年	受賞者なし	
1919年	カール・シュピッテラー	スイス
1920年	クヌート・ハムスン	ノルウェー
1921年	アナトール・フランス	フランス
1922年	ハシント・ベナベンテ	スペイン
1923年	ウィリアム・バトラー・イエイツ	アイルランド
1924年	ヴワディスワフ・レイモント	ポーランド

1925年	ジョージ・バーナード・ショー	アイルランド
1926年	グラツィア・デレッダ	イタリア
1927年	アンリ・ベルクソン	フランス
1928年	シグリ・ウンセット	ノルウェー
1929年	トーマス・マン	ドイツ
1930年	シンクレア・ルイス	アメリカ合衆国
1931年	エリク・アクセル・カールフェルト	スウェーデン
1932年	ジョン・ゴールズワージー	イギリス
1933年	イヴァン・ブーニン	ロシア
1934年	ルイジ・ピランデルロ	イタリア
1935年	受賞者なし	
1936年	ユージン・オニール	アメリカ合衆国
1937年	ロジェ・マルタン・デュ・ガール	フランス

1925-1950

1938年	パール・S・バック	アメリカ合衆国
1939年	フランス・エーミル・シランペー	フィンランド
1940年	受賞者なし	
1941年	受賞者なし	
1942年	受賞者なし	
1943年	受賞者なし	
1944年	ヨハネス・ヴィルヘルム・イェンセン	デンマーク
1945年	ガブリエラ・ミストラル	チリ
1946年	ヘルマン・ヘッセ	ドイツ
1947年	アンドレ・ジッド	フランス
1948年	T・S・エリオット	イギリス
1949年	ウィリアム・フォークナー	アメリカ合衆国
1950年	バートランド・ラッセル	イギリス

1951年	ペール・ラーゲルクヴィスト	スウェーデン
1952年	フランソワ・モーリアック	フランス
1953年	ウィンストン・チャーチル	イギリス
1954年	アーネスト・ヘミングウェイ	アメリカ合衆国
1955年	ハルドル・ラクスネス	アイスランド
1956年	ファン・ラモン・ヒメネス	スペイン
1957年	アルベール・カミュ	フランス
1958年	ボリス・パステルナーク（※ソ連政府の意向により辞退させられたが、後に遺族が受け取った）	ソビエト連邦
1959年	サルヴァトーレ・クァジモド	イタリア
1960年	サン＝ジョン・ペルス	フランス
1961年	イヴォ・アンドリッチ	ユーゴスラビア
1962年	ジョン・スタインベック	アメリカ合衆国
1963年	イオルゴス・セフェリス	ギリシャ

1951-1974

1964年	ジャン＝ポール・サルトル（※辞退）	フランス
1965年	ミハイル・ショーロホフ	ソビエト連邦
1966年	シュムエル・アグノン	イスラエル
	ネリー・ザックス	ドイツ
1967年	ミゲル・アンヘル・アストゥリアス	グアテマラ
1968年	川端康成	日本
1969年	サミュエル・ベケット	アイルランド
1970年	アレクサンドル・ソルジェニーツィン	ソビエト連邦
1971年	パブロ・ネルーダ	チリ
1972年	ハインリヒ・ベル	ドイツ
1973年	パトリック・ホワイト	オーストラリア
1974年	エイヴィンド・ユーンソン	スウェーデン
	ハリ・マーティンソン	スウェーデン

1975年	エウジェーニオ・モンターレ	イタリア
1976年	ソール・ベロー	アメリカ合衆国
1977年	ビセンテ・アレイクサンドレ	スペイン
1978年	アイザック・バシェヴィス・シンガー	アメリカ合衆国
1979年	オデッセアス・エリティス	ギリシャ
1980年	チェスワフ・ミウォシュ	ポーランド
1981年	エリアス・カネッティ	ブルガリア
1982年	ガブリエル・ガルシア=マルケス	コロンビア
1983年	ウィリアム・ゴールディング	イギリス
1984年	ヤロスラフ・サイフェルト	チェコスロバキア
1985年	クロード・シモン	フランス
1986年	ウォーレ・ショインカ	ナイジェリア
1987年	ヨシフ・ブロツキー	ソビエト連邦

1975 - 2000

1988年	ナギーブ・マフフーズ	エジプト
1989年	カミーロ・ホセ・セラ	スペイン
1990年	オクタビオ・パス	メキシコ
1991年	ナディン・ゴーディマー	南アフリカ共和国
1992年	デレク・ウォルコット	セントルシア
1993年	トニ・モリスン	アメリカ合衆国
1994年	大江健三郎	日本
1995年	シェイマス・ヒーニー	アイルランド
1996年	ヴィスワヴァ・シンボルスカ	ポーランド
1997年	ダリオ・フォー	イタリア
1998年	ジョゼ・サラマーゴ	ポルトガル
1999年	ギュンター・グラス	ドイツ
2000年	高行健	中国

2001年	V・S・ナイポール	トリニダード・トバゴ
2002年	ケルテース・イムレ	ハンガリー
2003年	J・M・クッツェー	南アフリカ共和国
2004年	エルフリーデ・イェリネク	オーストリア
2005年	ハロルド・ピンター	イギリス
2006年	オルハン・パムク	トルコ
2007年	ドリス・レッシング	イギリス
2008年	ジャン＝マリ・ギュスターヴ・ル・クレジオ	フランス
2009年	ヘルタ・ミュラー	ドイツ
2010年	マリオ・バルガス・リョサ	ペルー
2011年	トーマス・トランストロンメル	スウェーデン
2012年	莫言	中国
2013年	アリス・マンロー	カナダ

2001 - 2020

2014年	パトリック・モディアノ	フランス
2015年	スヴェトラーナ・アレクシエーヴィッチ	ベラルーシ
2016年	ボブ・ディラン	アメリカ合衆国
2017年	カズオ・イシグロ	イギリス
2018年	オルガ・トカルチュク（※発表は2019年）	ポーランド
2019年	ペーター・ハントケ	オーストリア
2020年	ルイーズ・グリュック	アメリカ合衆国

執筆者プロフィール

都甲幸治（とこう・こうじ）

1969年福岡県生まれ。翻訳家、早稲田大学文学学術院教授。著書に『「街小説」読みくらべ』、『今を生きる人のための世界文学案内』、『世界の8大文学賞』、『きっとあなたは、あの本が好き。』、『読んで、訳して、語り合う。都甲幸治対談集』（以上、立東舎）、訳書にドン・デリーロ『ポイント・オメガ』（水声社）などがある。

江南亜美子（えなみ・あみこ）

1975年大阪府生まれ。書評家、京都芸術大学専任講師。おもに日本の純文学と翻訳文芸に関し、新聞、文芸誌、女性誌などの媒体で、レビューや評論を執筆。『キリンが小説を読んだら』（書肆侃侃房）、『完全版 韓国・フェミニズム・日本』（河出書房新社）などに寄稿。共著に『きっとあなたは、あの本が好き。』（立東舎）など。

阿部公彦（あべ・まさひこ）

1966年生まれ。東京大学文学部教授。英米文学研究。文芸評論。著書は『名作をいじる』（立東舎）、『理想のリスニング』（東京大学出版会）、『英文学教授が教えたがる名作の英語』（文藝春秋）、『文学を〈凝視する〉』（岩波書店　サントリー学芸賞受賞）など。『フランク・オコナー短篇集』（岩波文庫）など翻訳もある。

日吉信貴（ひよし・のぶたか）

1984年愛知県生まれ。慶應義塾大学経済学部卒業。東京大学大学院総合文化研究科言語情報科学専攻博士課程単位取得退学。明海大学専任講師、翻訳家。著書に『カズオ・イシグロ入門』(立東舎)、訳書にキャサリン・バーデキン『鉤十字の夜』、ドン・デリーロ『沈黙』（ともに水声社）などがある。

栩木伸明（とちぎ・のぶあき）

1958年東京都生まれ。アイルランド文学者、早稲田大学文学学術院教授。著書に『アイルランド紀行』（中公新書）、『アイルランドモノ語り』（みすず書房）、訳書にコルム・トビーン『ノーラ・ウェブスター』（新潮社）、ウィリアム・トレヴァー『ラスト・ストーリーズ』(国書刊行会) などがある。

宮下遼（みやした・りょう）

1981年東京都生まれ。トルコ文学者、作家、大阪大学准教授。著書に『多元性の都市イスタンブル：近世オスマン帝都の都市空間と詩人、庶民、異邦人』（大阪大学出版会)、『無名亭の夜』（講談社)、訳書にオルハン・パムク『私の名は赤』、『雪』、『僕の違和感』、『赤い髪の女』（以上、早川書房）などがある。

山内功一郎（やまうち・こういちろう）

1969年静岡県生まれ。早稲田大学文学学術院教授。単著に『マイケル・パーマー：オルタナティヴなヴィジョンを求めて』、『沈黙と沈黙のあいだ：ジェス、パーマーとペトリンの世界へ』、共著に『記憶の宿る場所：エズラ・パウンドと20世紀の詩』、翻訳に『粒子の薔薇：マイケル・パーマー詩集』（以上、思潮社）などがある。

松永美穂（まつなが・みほ）

愛知県生まれ。翻訳家、早稲田大学文学学術院教授。著書に『ドイツ北方紀行』（NTT出版）、『誤解でございます』（清流出版）、訳書にベルンハルト・シュリンク『朗読者』（新潮社）、ウーヴェ・ティム『ぼくの兄の場合』（白水社）、インゲボルク・バッハマン『三十歳』（岩波文庫）などがある。

澤田直（さわだ・なお）

1959年東京生まれ。フランス文学者、立教大学文学部教授。著書に『〈呼びかけ〉の経験——サルトルのモラル論』（人文書院）、『ジャン＝リュック・ナンシー』（白水社）、共編訳書に『翻訳家たちの挑戦　日仏交流から世界文学へ』（水声社）、訳書にフィリップ・フォレスト『さりながら』（白水社）、フェルナンド・ペソア『新編 不穏の書、断章』（平凡社）などがある。

松下隆志（まつした・たかし）

1984年大阪府生まれ。ロシア文学者、翻訳家。岩手大学准教授。著書に『ナショナルな欲望のゆくえ——ソ連後のロシア文学を読み解く』（共和国）、訳書にウラジーミル・ソローキン『テルリア』『マリーナの三十番目の恋』（ともに河出書房新社）、ザミャーチン『われら』（光文社古典新訳文庫）などがある。

久野量一（くの・りょういち）

1967年東京生まれ。東京外国語大学准教授。専門はラテンアメリカ文学。著書に『島の「重さ」をめぐって――キューバの文学を読む』（松籟社）、訳書にエドゥアルド・ガレアーノ『日々の子どもたち　あるいは366篇の世界史』（岩波書店）、カルラ・スアレス『ハバナ零年』（共和国）、フアン・ガブリエル・バスケス『コスタグアナ秘史』（水声社）などがある。

中村和恵（なかむら・かずえ）

1966年生まれ、札幌市出身。詩人、比較文学研究者、明治大学教授。著書に『降ります』『地上の飯』（ともに平凡社）、『日本語に生まれて』（岩波書店）、詩集『トカゲのラザロ』『天気予報』（ともに紫陽社）、訳書にアール・ラヴレイス『ドラゴンは踊れない』（みすず書房）、ジャッキー・ケイ『トランペット』（岩波書店）などがある。

中村隆之（なかむら・たかゆき）

1975年東京都生まれ。早稲田大学法学学術院准教授。著書に『野蛮の言説』（春陽堂書店）、『エドゥアール・グリッサン』（岩波書店）、共編著に『世界の文学、文学の世界』（松籟社）、訳書にエドゥアール・グリッサン『フォークナー、ミシシッピ』（インスクリプト）、ル・クレジオ『氷山へ』（水声社）などがある。

栩木玲子（とちぎ・れいこ）

1960年米国生まれ。法政大学教授。専門はアメリカ文学・文化。共著書に『現代作家ガイド　ポール・オースター』（彩流社）、『国境を越えるヒューマニズム』（法政大学出版局）、訳書にジョイス・キャロル・オーツ『ジャック・オブ・スペード』、『邪眼』、アンナ・バーンズ『ミルクマン』（以上、河出書房新社）、アリス・マンロー『愛の深まり』（彩流社）、トマス・ピンチョン『ブリーディング・エッジ』（共訳、新潮社）などがある。

柳原孝敦（やなぎはら・たかあつ）

1963年鹿児島県奄美市出身。東京大学教授。著書に『ラテンアメリカ主義のレトリック』（エディマン）、『テクストとしての都市　メキシコDF』（東京外国語大学出版会）など。訳書にロベルト・ボラーニョ『野生の探偵たち』（共訳、白水社）、セサル・アイラ『文学会議』（新潮社）、フアン・ガブリエル・バスケス『物が落ちる音』（松籟社）など。

田尻芳樹（たじり・よしき）

1964年大阪府生まれ。東京大学教授。著書に*Samuel Beckett and the Prosthetic Body* (Palgrave Macmillan)、『ベケットとその仲間たち――クッツェーから埴谷雄高まで』（論創社）、訳書にクッツェー『世界文学論集』、『続・世界文学論集』（ともにみすず書房）などがある。

北田信（きただ・まこと）

1972年生。東京大学大学院人文社会系研究科博士課程単位取得退学。ドイツ・ハレ大学Ph.D.（インド学）。現在、大阪大学言語文化研究科准教授。南アジアの愛の文学と伝統芸能を研究する。北インド古典音楽（弦楽器サロード）の演奏活動も行っている。著書*The Body of the Musician* (Bern, Peter Lang 社)。

岡室美奈子（おかむろ・みなこ）

1958年三重県生まれ。早稲田大学演劇博物館館長、早稲田大学文学学術院教授、文学博士（UCD）。専門はベケット研究、現代演劇論、テレビドラマ批評。共編著書に『六〇年代演劇再考』、『サミュエル・ベケット！――これからの批評』（ともに水声社）など、訳書に『新訳ベケット戯曲全集1　ゴドーを待ちながら／エンドゲーム』（白水社）などがある。

江田孝臣（えだ・たかおみ）

1956年鹿児島県生まれ。早稲田大学名誉教授。著書に『エミリ・ディキンスンを理詰めで読む——新たな詩人像をもとめて』、『パターソン』を読む——ウィリアムズの長篇詩』（ともに春風社）。訳書に共訳『アメリカ現代詩101人集』（思潮社）、同『完訳エミリ・ディキンスン詩集』（金星堂）など。

平野啓一郎（ひらの・けいいちろう）

1975年愛知県蒲郡市生まれ。北九州市出身。小説家。京都大学法学部卒。1999年在学中に文芸誌「新潮」に投稿した『日蝕』により第120回芥川賞を受賞。著書に『葬送』、『決壊』（どちらも新潮文庫）、『ドーン』、『空白を満たしなさい』（どちらも講談社文庫）、『マチネの終わりに』（文春文庫）、『ある男』、『本心』（どちらも文藝春秋）などがある。

坂本葵（さかもと・あおい）

1983年愛知県生まれ。文筆業。著書に『食魔 谷崎潤一郎』（新潮新書）、小説『吉祥寺の百日恋』（新潮社）などがある。

野谷文昭（のや・ふみあき）

1948年神奈川県生まれ。東京大学名誉教授。著書に『マジカル・ラテン・ミステリー・ツアー』（五柳書院）、編訳書に『20世紀ラテンアメリカ短篇選』(岩波書店)、訳書にガルシア＝マルケス『予告された殺人の記録』（新潮社）、ボルヘス『七つの夜』（岩波書店）、バルガス＝リョサ『ケルト人の夢』（岩波書店）などがある。

鈴木雅雄（すずき・まさお）

1962年東京生まれ。早稲田大学文学学術院教授。シュルレアリスム研究。著書に『シュルレアリスム、あるいは痙攣する複数性』（平凡社）、『ゲラシム・ルカ：ノン＝オイディプスの戦略』（水声社）、共編著に『マンガ視覚文化論』（水声社）、『声と文学』（平凡社）などがある。

三神弘子（みかみ・ひろこ）

1954年愛媛県生まれ。早稲田大学国際学術院教授。専門はアイルランド文学、演劇。著書に *Frank McGuinness and His Theatre of Paradox*(Colin Smythe), 共訳書に『現代アイルランド演劇』1－5（新水社）、共編著に *Ireland on Stage: Beckett and After* (Carysfort Press), *Irish Theatre and Its Soundscapes*(Glasnevin Publishing) などがある。

斎藤寿葉（さいとう・かずは）

北海道生まれ。早稲田大学博士課程満期退学。専門は19世紀末から20世紀初頭のアメリカ文学。「ヘンリー・ジェイムズにおける資本主義の表象」をテーマに博士論文執筆中。

萩埜亮（はぎの・りょう）

1985年東京都生まれ。白鴎大学教育学部専任講師。アメリカ文学研究者。著書に“ ‘Through the Intimacies of This Dance’: Moral Perfectionism in William Carlos Williams's *Kora in Hell* and Other Improvisations”（日本アメリカ文学会）、共訳書にヘンリー・ミラー『三島由紀夫の死』（水声社）などがある。

『「街小説」読みくらべ』

都甲幸治

名作を「街縛り」で読んで、
文豪と一緒に
仮想街歩きをしよう！

本書は、早稲田大学教授で人気翻訳家の都甲幸治が、自らと関わりのある街を中心に、小説を舞台ごとに読みくらべて、「街」と「小説」の関係を探る1冊です。
取り上げる作家と街は、室生犀星と古井由吉の金沢、村上春樹と坪内逍遙の早稲田、フィッツジェラルドとサリンジャーのニューヨークなど、8都市25作品。
著者と街にまつわるエッセイが、読み進めるうちに小説の「読み」へと変化していき、1章読めば、同じ場所を舞台にした複数の作品のつながりが見えてきます。街歩きと書評が融合したスタイルで、どちらの魅力も楽しめる作りになっています。

定価：2420円（本体2200円＋税10%）

『今を生きる人のための世界文学案内』

都甲幸治

僕を熱くさせる小説は、
ほとんど全てこの本に書いてある。
都甲幸治のベスト書評集。

とにかく面白い本を、国・言語にかかわらずひたすら読みまくる。そしてその本について書きまくる。これは、そんな「狂喜の読み屋」の戦いの記録だ。
翻訳家・都甲幸治。彼の膨大な原稿から厳選したベスト書評集。読書日記、長短様々な書評、自伝的なエッセイなどから、現代の世界文学のありかたが見えてくる！
村上春樹『騎士団長殺し』についての書き下ろし書評も掲載。世界文学の今を知るためのブックガイドが登場。

定価：2200円（本体2000円＋税10%）

『世界の8大文学賞』

都甲幸治、中村和恵、宮下遼、武田将明、瀧井朝世、石井千湖、江南亜美子、藤野可織、桑田光平、藤井光、谷崎由依、阿部賢一、阿部公彦、倉本さおり

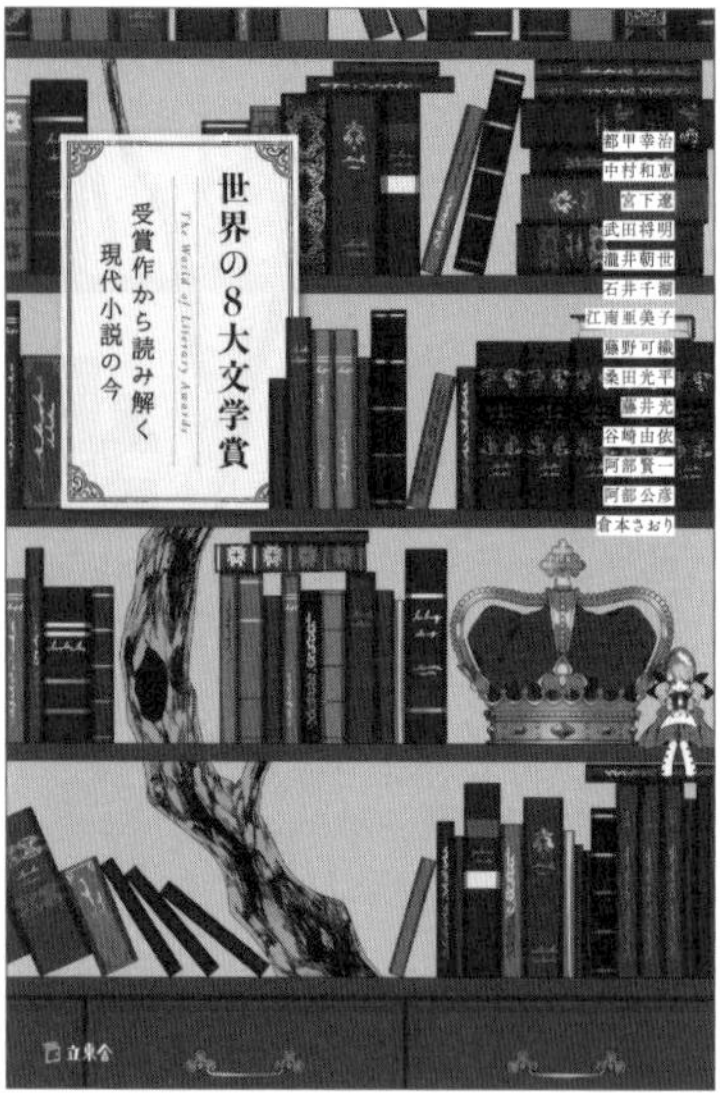

芥川賞、直木賞から
ノーベル文学賞まで。
8つの賞から、
文学の最先端が見えてくる！

世界中の文学賞は、こうやってできていた！　史上初の世界の文学賞ガイドが登場。『オスカー・ワオの短く凄まじい人生』の翻訳で知られる都甲幸治を中心に、芥川賞作家や翻訳家、書評家たちが集まって、世界の文学賞とその受賞作品について熱く語る1冊。芥川賞、直木賞、ノーベル文学賞といったメジャーなものから、各国の代表的なものまで。歴史あるものや最近設立されたもの、賞金が1億円を超えるものや1500円くらいのもの。世界に数多く存在する文学賞のなかから、とびきりの8つを選びました。
受賞作品の解説にとどまらず、受賞作品の傾向分析や、あっと驚く選考の裏話までもが飛び出し、あなたの知的好奇心を大いに刺激します。これ1冊で、文学賞の発表シーズンが何倍も楽しくなる！

定価：1760円（本体1600円＋税10%）

『きっとあなたは、あの本が好き。』

都甲幸治、武田将明、藤井光、藤野可織、朝吹真理子、和田忠彦、石井千湖、阿部賢一、岡和田晃、江南亜美子

10人の作家・翻訳家・書評家が、
とっておきの本を紹介する
読書ガイドが登場！

『オスカー・ワオの短く凄まじい人生』の翻訳で知られる都甲幸治を中心に、芥川賞作家や翻訳家、書評家たちが集まって、ヨーロッパやアメリカから日本まで、不朽の名作からベストセラーまで、縦横無尽に語り尽くします。共通点は、読んで面白かったこと、という一点のみ。トールキンなんかのファンタジーからホームズものなどのミステリー、それから、日本近代文学の王者、谷崎潤一郎や太宰治まで。伊坂幸太郎や『不思議の国のアリス』、そして江國香織から村上春樹まで。大島弓子や萩尾望都についても熱く語ります。

定価：1650円（本体1500円＋税10%）

立東舎の本

『読んで、訳して、語り合う。都甲幸治対談集』

都甲幸治

初の対談集が登場！

翻訳家・都甲幸治が、作家、翻訳家、研究者たちと村上春樹から世界文学までを縦横無尽に語りまくる！ さらに、語りおろしとして、芥川賞作家・小野正嗣との特別対談を収録。お互いの作品についてのコメントから、2人の学生時代までを本邦初公開！

対談相手：いしいしんじ、岸本佐知子、堀江敏幸、内田樹、沼野充義、芳川泰久、柴田元幸、藤井光、星野智幸、小野正嗣

定価：1650円（本体1500円＋税10%）

『カズオ・イシグロ入門』

日吉信貴

2017年ノーベル文学賞受賞作家の作品の謎に迫る、いちばん読みやすい解説書が登場！

2017年10月、突然のニュースに日本が大騒ぎになりました。
カズオ・イシグロのノーベル文学賞受賞。海外文学ファンは驚き、一般の人は「日本人っぽい名前だけど、誰？」となったのは記憶に新しいです。
そんなカズオ・イシグロの生い立ちから作品世界まで、その実像に迫る解説書ができました。今回の受賞でイシグロのことを知った人も、『日の名残り』や『わたしを離さないで』なら読んだことがあるという人も楽しめる、イシグロ・ワールドへ読者を誘う、読みやすい1冊です。

定価：1430円（本体1300円＋税10%）

『文豪きょうは何の日？』

立東舎編

1月17日、芥川龍之介が
インフルエンザにかかり、10日間ほど寝込む。
8月4日、内田百閒が妻の提案で生まれて
初めてキュウリの味噌汁を食べる。
11月10日、萩原朔太郎の
家の近所に室生犀星の一家が引っ越してくる。

文豪にまつわる記念日といえば、どんなものを思い浮かべますか？　有名なところでは6月19日の「桜桃忌」があります。1948年に玉川上水に入水した太宰治の遺体が発見されたのがこの日。奇しくも太宰の誕生日でもあるこの日は、彼の晩年の作品『桜桃』にちなんで名付けられました。そんな記念日は、この日だけでなく、1年中どこにでもあるのです。
ある年のある日に、文豪たちがどこで何をしていたのか。作品の発表や受賞といった公的なエピソードだけでなく、恋愛や結婚、学生時代の思い出から日常の悩みに至るまで、文豪をより身近に感じられる私的なエピソードも含めてまとめてみました。

定価：1980円（本体1800円＋税10%）

ノーベル文学賞のすべて

編著　都甲 幸治
イラスト　赤

発行人　古森 優
編集長　山口 一光
デザイン　根本 綾子(Karon)
担当編集　切刀 匠

発行：立東舎

印刷・製本：株式会社廣済堂